SenDeRos

ESTÁNDARES COMUNES

Cuaderno del lector

Volumen 2

Grado 1

Contenido

Sílabas con *r* antes de consonante, *n* antes de *v* y *m* antes *de p* o *b*

Lee las palabras. Encierra en un círculo las ilustraciones que vayan con las palabras.

1. envase

2. lombriz

3. campo

4. serpiente

 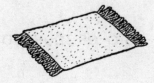

5. alfombra

Palabras que quiero saber

✏️ **Escucha las claves y repítelas. Encierra en un círculo la mejor respuesta para las claves.**

1. Es un lugar donde apoyas cosas. superficie liviano

2. Esto significa que algo **no es pesado**. porque liviano

3. Esto significa dar a conocer algo. traer mostrar

4. Esto es casi lo mismo que **observar**. mirar mostrar

5. Haces esto con tus valijas. llevar porque

6. Esto cuenta el motivo o la razón de algo. porque superficie

7. Su opuesto es **llevar**. mostrar traer

8. Esto es muy parecido a **volver**. regresar mirar

Nombre _____

Sílabas con *r* antes de consonante, *n* antes de *v* y *m* antes *de p* o *b*

Observa los dibujos. Di el nombre de cada uno. Escribe las combinaciones de letras que faltan para completar las palabras.

1.

bo ____ ero

2.

i ____ estiga

3.

pe ____ onas

4.

za ____ ar

5.

e ____ ío

6.

i ____ ulso

Lección 16
CUADERNO DEL LECTOR

¡Vamos a la luna!
Ortografía: Sílabas con *r* antes de
consonante, *n* antes de *v* y *m* antes
de p o b

Ortografía: Sílabas con *r* antes de consonante, *n* antes de *v* y *m* antes de *p o b*

Clasifica las palabras. Escribe las palabras de ortografía correctas en cada columna.

r antes de una consonante	*n* antes de *v* (nv)	*m* antes *de* *p o b* (mp, mb)

Palabras de ortografía

ambos

bombero

parte

envase

campo

empezar

impulsa

personas

invita

cartón

¿Qué es una pregunta?

 Encierra en un círculo cada pregunta.

1. ¿Qué viste?

2. ¿Puedes venir?

3. ¿Es ese el sol?

4. Quiero leer.

5. ¿Dónde fue Nico?

6. Ellos están viendo el partido.

7. ¿Cuántas rocas tiene Lisa?

8. Me gusta contar chistes.

Elige una pregunta. Añade detalles.

_____

- -

_____

- -

_____

Usar detalles

 Dibuja algo que hayas descubierto o <u>encontrado</u>.

```
┌ ─ ─ ─ ─ ─ ─ ─ ─ ─ ─ ─ ─ ─ ┐
│                           │
│                           │
│                           │
│                           │
│                           │
└ ─ ─ ─ ─ ─ ─ ─ ─ ─ ─ ─ ─ ─ ┘
```

Escribe oraciones acerca del momento en que <u>viste</u> tu descubrimiento.

_____

Un día **encontré** _____.

_____

Cuando lo **vi,** _____.

_____

Luego, _____.

| Idea principal |

Todas mis oraciones hablan sobre _____.

Repasar sílabas con *r* antes de consonante, *n* antes de *v* y *m* antes de *p* o *b*, sílabas cerradas (CVC) y plurales: *-s, -es, -ces*

Encierra en un círculo la palabra que nombre a la ilustración.

1. peces   meses

2. cambio   limpia

3. entrada   enorme

4. rombo   bombón

5. invitado   investigador

7

Guía del lector

¡Vamos a la luna!

Entrevista a un astronauta

Hoy eres un reportero. Un reportero hace preguntas a una persona y escribe las respuestas. Lee las páginas 20 a 23. Piensa en lo que has leído. Después escribe una pregunta que te gustaría hacer a un astronauta. Luego haz como si fueras un astronauta. Escribe la respuesta.

P. _____

_____

R. _____

_____

_____

8

Lee las páginas 28 a 33. Piensa en lo que has leído. Después escribe una pregunta que te gustaría hacer a un astronauta. Luego haz como si fueras un astronauta. Escribe la respuesta.

P.

R.

Ortografía: Sílabas con *r* antes de consonante, *n* antes de *v* y *m* antes de *p* o *b*

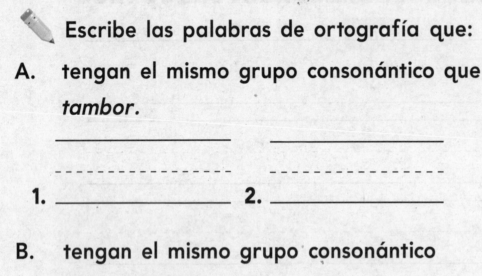 Escribe las palabras de ortografía que:

Palabras de ortografía

bombero
invita
empezar
parte
campo
envase
ambos

A. tengan el mismo grupo consonántico que *tambor.*

_____   _____

1. _____   2. _____

B. tengan el mismo grupo consonántico que *campana.*

_____   _____

3. _____   4. _____

C. tengan el mismo grupo consonántico que *enviado.*

_____   _____

5. _____   6. _____

D. tengan el mismo grupo consonántico que *cartera.*

_____

7. _____

Escribir preguntas

✏️ Escribe la palabra correcta del Banco de palabras para comenzar las oraciones. Escribe los signos de puntuación correctos. Recuerda que algunas palabras que se usan para hacer preguntas llevan acento.

Banco de palabras

Qué   Puedes   Cuándo   Dónde   Necesitas   Tienes

_____ _____

1. _____ pongo mi sombrero ____

2. _____ pueden ver ____

3. _____ verme ____

4. _____ comer algo ____

5. _____ frío ____

6. _____ vas ____

Planear mis oraciones

Dibuja y escribe los detalles que cuentan lo que sucedió.

_____

- -

Mi tema: _____

Primer detalle

⬇

Segundo detalle

⬇

Último detalle

Lección 16
CUADERNO DEL LECTOR

¡Vamos a la luna!
Ortografía: Sílabas con *r* antes de
consonante, *n* antes de *v* y *m* antes
de *p* o *b*

Ortografía: Sílabas con *r* antes de consonante, *n* antes de *v* y *m* antes de *p* o *b*

Palabras de ortografía
ambos
bombero
campo
empezar
envase
impulsa
invita
parte
personas
cartón

Escribe una palabra de ortografía para completar las oraciones.

_____

– – – – – – – – – –

1. El _____ apaga el incendio.

_____

– – – – – – – – – –

2. Las vacas viven en el _____.

_____

– – – – – – – – – –

3. A cada uno le tocó una _____.

_____

– – – – – – – – – –

4. A muchas _____ les gustaría visitar el espacio.

_____

– – – – – – – – – –

5. Ana me _____ siempre a su cumpleaños.

_____

– – – – – – – – – –

6. _____ recibimos dulces de regalo.

13

Repaso en espiral

✏️ Encierra en un círculo los sustantivos propios.
Luego escribe los sustantivos propios correctamente.

1. Mi amiga rita tiene una caja
   con gemas.

2. Se la muestra a ema.

3. Tiene un gato llamado rolo.

✏️ Traza una línea debajo de los títulos. Luego,
escribe los títulos y nombres correctamente.

4. La amiga de mamá es la
   sra. gómez.

5. ¿Visitará la clase el
   dr. rodríguez?

6. Le escribí al sr. borges.

Gramática y escritura

Una oración que interroga sobre algo se llama **pregunta**. Una pregunta empieza con un **signo de interrogación** y letra mayúscula y termina con un **signo de interrogación**.

Corrige los errores en las oraciones. Usa los símbolos de corrección.

Ejemplo: ¿tiene plantas la luna?
¿Hay polvo en la luna?

1. Sabías su nombre

2. ¿cuándo fueron?

3. Por qué vas en bicicleta.

4. Qué comen los gatos?

5. es caliente o fría la luna.

Símbolos de corrección	
∧	agregar
℮	quitar
≡	mayúscula

15

El gran viaje
Fonética: Grupo consonántico
con *l* (*bl, cl, fl, gl, pl*)

Grupo consonántico con *l* (*bl*, *cl*, *fl*, *gl*, *pl*)

Encierra en un círculo la palabra que va con el dibujo.

1.

clase   clima

2.

flecha   reflejo

3.

globo   jungla

4.

blanco   bloques

5.

flecos   flores

6.

plátano   playa

Palabras que quiero saber

✏ Escucha las preguntas. Repítelas. Encierra en un círculo la mejor respuesta para las preguntas.

1. ¿Qué palabra se relaciona
   con **tal vez?**   quizás   viaje

2. ¿Qué palabra se relaciona
   con **ninguno?**   auto   no

3. ¿Qué palabra se relaciona
   con **a salvo?**   puedes   seguro

4. ¿Qué palabra se relaciona
   con **conductor?**   auto   seguro

5. ¿Qué palabra se relaciona
   con **maletas?**   viaje   no

6. ¿Qué palabra se relaciona
   con **ser capaz?**   ir   puedes

7. ¿Qué palabra se relaciona
   con **venir?**   no   ir

8. ¿Qué palabra se relaciona
   con **andar?**   viajar   quizás

Lección 17
CUADERNO DEL LECTOR

El gran viaje
Fonética: Grupo consonántico
con *l* (*bl, cl, fl, gl, pl*)

Grupo consonántico con *l (bl, cl, fl, gl, pl)*

Encierra en un círculo las palabras que completan las oraciones.

1. Puedo enseñarte a plantar una _____.

    flor   pluma

2. Crecerán si hay buen _____.

    clase   clima

3. Tengo toda _____ de flores.

    clima   clase

4. Tengo flores de color _____ y rojo.

    blanco   blusa

5. Las _____ con flores necesitan muchos cuidados.

    plato   plantas

Nombre _____

Ortografía: Grupo consonántico con *l* (*bl*, *cl*, *fl*, *gl*, *pl*)

El gran viaje
Ortografía: Grupo consonántico con *l*
(*bl*, *cl*, *fl*, *gl*, *pl*)

Palabras de ortografía

Clasifica las palabras. Escribe la palabra de ortografía correcta en cada columna.

globo
clase
regla
blanco
pluma
flaco
flor
habla
clima
glaciar

Palabras con *bl*	Palabras con *cl*
_____	_____
_____	_____
_____	_____
_____	_____

Palabras con *fl*	Palabras con *gl*	Palabras con *pl*
_____	_____	_____
_____	_____	_____
_____	_____	
	_____	

Oraciones compuestas

✏️ **Dibuja una línea debajo de cada oración compuesta.**

1. Olga tomó el autobús y nosotros caminamos.

Olga y nosotros caminamos.

2. Tomás viaja en tren con su familia.

Tomás viaja en tren y su familia viaja en avión.

3. Sam trabaja rápido, pero trabaja con cuidado.

Sam trabaja rápido.

✏️ **Escribe el signo o los signos de puntuación correctos en cada oración compuesta.**

4. Pónganse en fila y esperen a oír la campana ____

5. ____Está tu hermana aquí o está en casa ____

Detalles de dónde y cuándo

✏️ Haz un dibujo de algo que hayas visto o hecho en un viaje.

┌ ─ ─ ─ ─ ─ ─ ─ ─ ─ ─ ─ ─ ┐

└ ─ ─ ─ ─ ─ ─ ─ ─ ─ ─ ─ ─ ┘

✏️ Escribe oraciones acerca de tu viaje.

Quién	Acción	Dónde

Quién	Acción	Cuándo

Quién	Acción	Dónde

El gran viaje
Fonética: Repasar el grupo consonántico
con *l*, sílabas con *r* antes de consonante,
n antes de *v* y *m* antes de *p* o *b*

Repasar el grupo consonántico con *l*, sílabas con *r* antes de consonante, *n* antes de *v* y *m* antes de *p* o *b*

Encierra en un círculo las letras que forman las palabras. Escribe las palabras.

1.

i___ierno

mb   nv

_____

- - - - - - - - - - - - - -

_____

2.

lo___riz

mb   nv

_____

- - - - - - - - - - - - - -

_____

3.

___ato

gl   pl

_____

- - - - - - - - - - - - - -

_____

4.

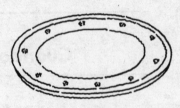

___auta

cl   fl

_____

- - - - - - - - - - - - - -

_____

El gran viaje

Adivinanzas de viajes

Diviértete con estas adivinanzas sobre **El gran viaje.**
Lee las pistas y la pregunta. Escribe tu respuesta
con una oración.

Tengo dos ruedas. Me lleva un animal. ¿Qué soy?
¿Necesitas una clave? **Lee las páginas 60 a 61.**

_____

- -

_____

**No tengo ruedas. Puedes ir en mi canasto. Voy
por el aire. ¿Qué soy?** *¿Necesitas una clave?* **Lee
las páginas 64 a 65.**

_____

- -

_____

**Tengo cuatro ruedas. Puedes poner tu valija
encima de mí. ¿Qué soy?** *¿Necesitas una clave?*
Lee las páginas 56 a 57.

_____

- -

_____

¡Escribe una adivinanza de viajes! Cuando termines de escribir, compártela con un amigo. Una adivinanza da claves. Escribe las claves. La adivinanza también hace una pregunta. La pregunta ya está escrita. Escribe la respuesta. ¡No se la muestres a tu amigo! Escribe las páginas de **El gran viaje** donde el lector puede encontrar las claves.

Pistas:

_____

_____

_____

_____

_____

_____

_____

¿Qué tipo de transporte soy? _____

¿Necesitas una clave? Lee las páginas:

_____

_____

Lección 17
CUADERNO DEL LECTOR

El gran viaje
Ortografía: Grupo consonántico con *l*
(*bl, cl, fl, gl, pl*)

Ortografía: Grupo consonántico con *l* (*bl, cl, fl, gl, pl*)

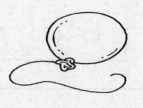 Escribe la palabra de ortografía que nombra la ilustración.

Palabras de ortografía

blanco
clase
clima
flaco
flor
globo
habla
pluma
regla
glaciar

1.

2.

3.

4.

5.

6.

Escribir oraciones compuestas

✏️ Escribe una oración compuesta combinando
las dos oraciones más cortas.

1. ¿Estás listo?   ¿Te espero?

_____

- o

_____

_____

2. Pasea al perro.   Da de comer al gato.

_____

- y

_____

_____

3. Yo me siento bien.   Carlos está enfermo.

_____

- pero

_____

- -

_____

Gramática

Planear mis oraciones

✏️ Dibuja y escribe los detalles que cuentan lo que sucedió primero, después y por último.

Mi tema: _____

Primero

⬇️

Después

⬇️

Por último

Ortografía: Grupo consonántico con *l* (*bl*, *cl*, *fl*, *gl*, *pl*)

Escribe una palabra de ortografía del recuadro para completar las oraciones.

Palabras de ortografía

blanco
clase
clima
flaco
flor
globo
habla
regla
pluma
glaciar

_____

1. Un _____ es como un río de hielo.

_____

2. En mi jardín, hay una hermosa _____ roja.

_____

3. En Canadá, el _____ es muy frío.

_____

4. ¿Me prestarías tu _____ para trazar una línea?

_____

5. Ahora mi papá está mucho más _____.

_____

6. El vestido de la novia era de color _____.

El gran viaje
Gramática

Repaso en espiral

 Dibuja una línea debajo de cada mandato.

1. Vimos el partido.

2. Ten cuidado dónde pisas.

3. Trata bien a los animales.

4. ¿De qué raza es ese perro?

 Añade palabras a cada mandato para formar una oración compuesta.

5. Espera tu turno.

_____
- - - - - - - - - - - - - - - - - -
_____
_____
- - - - - - - - - - - - - - - - - -
_____

6. Presta atención.

_____
- - - - - - - - - - - - - - - - - -
_____
_____
- - - - - - - - - - - - - - - - - -
_____

Gramática y escritura

Una **oración compuesta** está formada por dos oraciones más cortas unidas por una coma o las palabras **y**, **pero** u **o**.

✏️ Dibuja una línea debajo de cada oración compuesta.

1. Las niñas van en autobús a la escuela.

2. Mamá va en auto a trabajar, pero papá va en tren.

3. ¿Jugamos un partido hoy o jugamos mañana?

✏️ Escribe una oración compuesta combinando las dos oraciones más cortas.

4. Toma una siesta. No llegues tarde.

_____

- pero

_____

- -

_____

5. Yo tengo papel. Luis tiene lápices.

_____

- y

_____

_____

- -

_____

Lección 18
CUADERNO DEL LECTOR

¿De dónde viene
la comida?
Fonética: Grupo consonántico
con r (cr, pr, tr, br, gr, dr, fr)

Grupo consonántico con r (cr, pr, tr, br, gr, dr, fr)

✏️ Lee las palabras. Encierra en un círculo la palabra que diga el nombre de la ilustración. Luego escribe la palabra.

1.

premio   cilindro

_____
_ _ _ _ _ _ _ _ _ _ _ _ _
_____

2.

recreo   libro

_____
_ _ _ _ _ _ _ _ _ _ _ _ _
_____

3.

grúa   freno

_____
_ _ _ _ _ _ _ _ _ _ _ _ _
_____

4.

trompeta   cofre

_____
_ _ _ _ _ _ _ _ _ _ _ _ _
_____

5.

lágrima   disfraz

_____
_ _ _ _ _ _ _ _ _ _ _ _ _
_____

Palabras que quiero saber

✏️ Encierra en un círculo la respuesta correcta para completar las oraciones.

1. Susana comió sus papas (estas, primero).

2. Las papas crecen en la (tierra, a veces).

3. (Comida, A veces) Javier también come ensalada.

4. Sam tiene que acabarse la (comida, debajo) de su plato.

5. "Come (tierra, tu) plato de guisantes".

6. Los guisantes vienen (tu, directamente) de la tienda.

7. Sam puso el tenedor (debajo, primero) de sus guisantes.

8. Elena pensó: "¡(Estas, directamente) manzanas son muy sabrosas!"

Nombre _____

Grupo consonántico con *r* (*cr, pr, tr, br, gr, dr, fr*)

✏️ **Lee las palabras. Encierra en un círculo las palabras que digan el nombre de la ilustración.**

1. dragón   cabra

2. creyones   bolígrafo

3. comprar   cangrejo

4. cuadro   crema

5. trampa   frijoles

Lección 18
CUADERNO DEL LECTOR

**¿De dónde viene
la comida?**
Ortografía: Grupo consonántico con *r*
(*cr, pr, tr, br, gr, dr, fr*)

Ortografía: Grupo consonántico con *r* (*cr, pr, tr, br, gr, dr, fr*)

✏️ Clasifica las palabras. Escribe las palabras de ortografía correctas en cada columna.

Palabras con *pr*	Palabras con *fr*	Palabras con *gr*
_____	_____	_____
_____	_____	_____
_____	_____	_____

Palabras con *br*	Palabras con *cr*	Palabras con *tr*
_____	_____	_____
		_____
		_____

Palabras de ortografía

fritas

primero

trigo

frutas

trabajo

crece

granjas

presenta

grano

cabras

Nombres de meses, días de la semana y días festivos

✏️ Escucha las palabras del Banco de palabras. Repítelas. Encierra en un círculo los meses, días de la semana o días festivos en las oraciones. Escríbelos correctamente en la línea.

> **Banco de palabras**
>
> Día del Trabajador   martes   mayo   junio   sábado   agosto

1. El día del Trabajador hicimos un picnic.   _____

2. Los Martes, Germán hace una torta.   _____

3. Sembramos semillas en Mayo.   _____

✏️ Traza una línea debajo de la oración correcta de cada par de oraciones.

4. A Grecia le gusta plantar frijoles en junio.

   A Grecia le gusta plantar frijoles en Junio.

5. El sábado recogí frijoles.

   El Sábado recogí frijoles.

6. La fruta crece mejor en Agosto.

   La fruta crece mejor en agosto.

Lección 18
CUADERNO DEL LECTOR

¿De dónde viene
la comida?
Escritura: Escritura narrativa

Usar diferentes clases de oraciones

✏️ Escribe una carta amistosa sobre una comida especial que tuviste. Escribe enunciados y una pregunta.

_____

Querido/a _____: _____

Comí _____ con _____.

_____

(enunciado)

_____

(enunciado)

¿_____?

(pregunta)

_____

_____

¿De dónde viene
la comida?
Fonética: Repasar los grupos
consonánticos con *r* y *l*

Repasar los grupos consonánticos con *r* y *l*

Escribe palabras del recuadro para completar las oraciones.

negro	flauta	crece	triciclo	reflejo

1. Brenda puede ver su _____ en el agua.

2. El vestido era todo _____ .

3. Se me perdió mi _____ nueva.

4. El trigo _____ en el campo.

5. Ayer, mis abuelos me regalaron un _____ .

Guía del lector

¿De dónde viene la comida?

¡Prepara una comida!

Voy a almorzar un sándwich de queso con tomate y un vaso de leche. Necesito cuatro tipos de comida diferentes. Escribe de dónde viene cada comida. Para ayudarte, busca evidencias del texto en las páginas 98 y 99, 104 a 105 y 107.

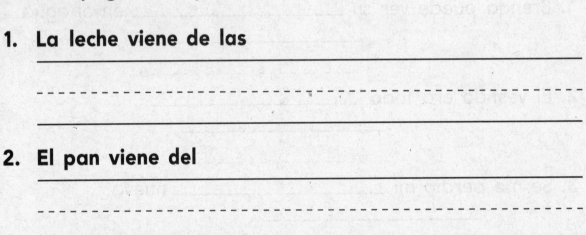

1. **La leche viene de las**

_____

- -

_____ .

2. **El pan viene del**

_____

- -

_____ .

3. **El queso viene de las**

_____

- -

_____ .

4. **Los tomates vienen de las**

_____

- -

_____ .

Nombre _____ Fecha _____

¡Es la hora de desayunar! Dibuja comida en el plato. Escribe rótulos. Escribe oraciones que digan de dónde viene cada comida. Para ayudarte, busca evidencias del texto en la selección.

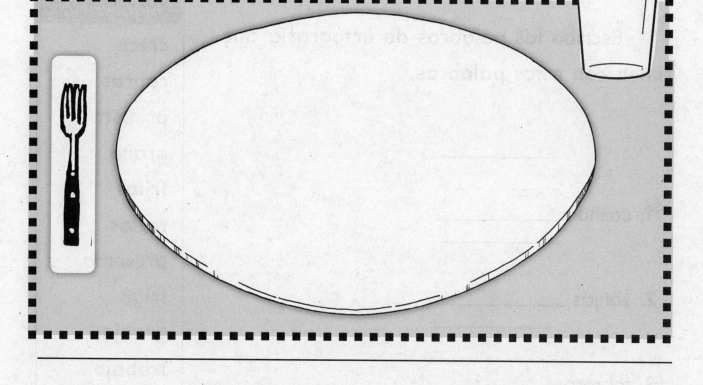

_____

_____

_____

_____

_____

_____

_____

Ortografía: Grupo consonántico con *r* (*cr, pr, tr, br, gr, dr, fr*)

✏️ Escribe las palabras de ortografía que rimen con estas palabras.

Palabras de ortografía
crece
cabras
primero
grano
fritas
frutas
presenta
trigo
granjas
trabajo

1. casitas _____

2. zanjas _____

3. febrero _____

4. favorece _____

5. palabras _____

6. astutas _____

7. escarabajo _____

8. anciano _____

9. menta _____

10. digo _____

Escribir fechas

🖊 Encierra en un círculo la palabra *de* en cada fecha.

1. La Sra. Galán se mudó a la granja el 25 de octubre de 2001.

2. Ella plantó trigo el 13 de marzo de 2010.

3. Ella compró pollitos el 28 de mayo de 2011.

4. Ella vendió huevos el 4 de junio de 2012.

🖊 **La fecha en cada oración está subrayada.**
Escribe la fecha correctamente.

5. Esta cosecha se sembró el <u>marzo 16 2012</u>.

_____

- -

_____

6. Los guisantes se plantaron el <u>Abril 23 2012</u>.

_____

- -

_____

Nombre _____

Lección 18
CUADERNO DEL LECTOR

¿De dónde viene
la comida?
Escritura: Escritura narrativa

Planear mi carta

✏️ Escribe y dibuja los detalles que cuentan
lo que sucedió primero, después y por último.

_____

- -

Voy a escribir una carta a mi _____.

- -

Le voy a contar _____.

Primero

↓

Después

↓

Por último

Ortografía: Grupo consonántico con *r* (cr, pr, tr, br, gr, dr, fr)

✏️ Escribe la palabra correcta para completar las oraciones.

- - - - - - - - - -
1. Mi tío cría _____.

    cabras   **abras**
    _____

- - - - - - - - - -
2. Ese árbol _____ en un clima cálido.

    cruza   **crece**
    _____

- - - - - - - - - -
3. Llegué _____ a la meta.

    primero   **primaria**
    _____

- - - - - - - - - -
4. El _____ se cultiva en el campo.

    traga   **trigo**
                       _____

- - - - - - - - - -
5. Me gustan mucho las papas _____.

    fritas   **frutas**

Nombre _____

Lección 18
CUADERNO DEL LECTOR

¿De dónde viene
la comida?
Gramática

Repaso en espiral

Encierra en un círculo los verbos correctos.

Luego escribe las oraciones con el verbo correcto.

1. Los niños (caminan/camina) alrededor del estanque.

_____

- -

_____

2. Nueve ovejas (comen/come) hierba.

_____

- -

_____

3. Los patos (agitan/agita) sus alas.

_____

- -

_____

4. Una mula (duermen/duerme) en el heno.

_____

- -

_____

5. Los cerdos (juegan/juega) en el lodo.

_____

- -

_____

Nombre _____

Lección 18
CUADERNO DEL LECTOR

¿De dónde viene
la comida?
Gramática: Nombres de meses, días
de la semana y días festivos

Gramática y escritura

Los nombres de los **meses** del año y de los
días de la semana empiezan con minúscula.
En los nombres de los **días festivos**, todos los
sustantivos y los adjetivos empiezan con mayúscula.

Ejemplo: El d̲ía del t̲rabajador es el /Lunes 7 de
/Septiembre de 2009.

Escucha los nombres de los meses y los
días festivos del Banco de palabras. Repítelos.
Corrige los errores en las oraciones. Usa los
símbolos de corrección.

Banco de palabras

julio   agosto   septiembre   octubre   diciembre
Día de Acción de Gracias

1. En Octubre hacía frío.

2. El señor Pérez se fue el 22 de Agosto de 2004.

3. En Septiembre y Agosto, venden mermelada.

4. La señora Gauna abrió la tienda el 18 de Julio De 2007.

5. El día de acción de gracias es en Noviembre.

Símbolos de corrección			
/	minúscula	≡	mayúscula

Tomás Rivera
Fonética: Sílabas cerradas con
grupos consonánticos (patrón CCVC)

Sílabas cerradas con grupos consonánticos (patrón CCVC)

Lee las palabras. Encierra en un círculo la ilustración que vaya con la palabra.

1.

cristal

2.

celebrar

3.

frente

4.

blanco

5.

trampolín

Palabras que quiero saber

Escucha las claves. Repítelas. Encierra en un círculo la mejor respuesta para las claves.

1. Esto significa **finalizar**.   papel   terminar

2. Esto es en un plazo corto.   pronto   extraordinarios

3. Esto significa **decir**.   ayudaban   hablar

4. Su opuesto es **comunes**.   extraordinarios   pronto

5. Terminan haciendo esto cuando escuchan un chiste.   riéndose   terminar

6. Se escribe sobre esto.   trabajo   papel

7. Su opuesto es **juego**.   hablar   trabajo

8. Pasado de **ayudan**.   riéndose   ayudaban

Nombre _____

Tomás Rivera
Fonética: Sílabas cerradas con
grupos consonánticos (patrón CCVC)

Sílabas cerradas con grupos consonánticos (patrón CCVC)

Encierra en un círculo las dos palabras
de la fila que presentan la combinación
consonante-consonante-vocal-consonante.

1.

   letras   doblar   parte   campo

2.

   grande   niños   inflar   kilo

3.

   pez   tablón   disfraz   brisa

4.

   prestar   roto   granja   campo

5.

   girasol   práctica   gusta   plantas

Ortografía: Sílabas cerradas (patrón CCVC)

Clasifica las palabras. Escribe la palabra de ortografía correcta en las columnas.

Patrón CCVC al principio	Patrón CCVC al final
_____	_____
- - - - - - - - - -	- - - - - - - - - -
_____	_____
- - - - - - - - - -	- - - - - - - - - -
_____	_____
- - - - - - - - - -	- - - - - - - - - -
_____	_____
- - - - - - - - - -	- - - - - - - - - -
_____	_____
- - - - - - - - - -	- - - - - - - - - -
_____	_____
- - - - - - - - - -	- - - - - - - - - -
_____	_____

Palabras de ortografía

letras
fresco
pronto
tablas
brincar
celebrar
teclas
libros
palabras
logros

El futuro simple

Encierra en un círculo las oraciones que hablan del futuro. Vuelve a escribir las demás oraciones para que hablen del futuro. Asegúrate de acentuar correctamente los verbos en futuro.

1. Leo todos los días.

2. Francisco te encontrará en la tienda.

3. Mi papá me ayuda a leer.

4. Lavaron la camioneta.

5. Ana batirá los huevos.

_____

6. _____

_____

7. _____

_____

_____

8. _____

Orden de los sucesos

Haz dibujos que muestren lo que hiciste hoy para prepararte para ir a la escuela.

Escribe oraciones sobre lo que hiciste hoy para prepararte para ir a la escuela.

_____

Primero, _____

_____

Después, _____

_____

Por último, _____

Tomás Rivera
Fonética: Repasar el grupo
consonántico con *r* y el patrón CCVC

Repasar el grupo consonántico con *r* y el patrón CCVC

✏ Traza una línea para unir las palabras con la combinación de sonidos que corresponde.

cabras	br
fritas	gr
granja	pr
primero	fr

✏ Escribe una oración usando una o más palabras de arriba.

_____

- - - - - - - - - - - - - - - - - - -

_____

- - - - - - - - - - - - - - - - - - -

_____

Repasar el patrón CCVC

✏️ **Escribe las consonantes que completan las palabras de cada oración.**

1. Nos gusta leer li _____ os.

     br   tr

2. Las oraciones tienen pala _____ as.

     tr   br

3. Las palabras tienen le _____ as.

     br   tr

4. Hoy hace _____ esco.

     br   fr

Tomás Rivera

Presentar a Tomás Rivera

¡Vamos a hacer un cartel para la biblioteca de
Tomás Rivera!

Lee las páginas 134 a 138. Dile a la gente por qué es
importante Tomás Rivera. Explica por qué la biblioteca
lleva su nombre.

La biblioteca Tomás Rivera

_____

- -

_____

- -

_____

- -

_____

- -

_____

- -

_____

Lee las páginas 139 a 141. Dibuja algo que era importante para Tomás Rivera. Escribe un pie de foto para tu dibujo que diga por qué era importante.

Ortografía: Sílabas cerradas (patrón CCVC)

✏️ Escribe las palabras de ortografía que describen las claves.

Palabras de ortografía

brincar

celebrar

fresco

letras

palabras

pronto

tablas

teclas

libros

logros

1. Lo opuesto de *cálido.*

_____

2. Lo que tienes que pulsar para que suene el *piano.*

_____

3. Piezas planas de madera.

_____

4. Lo que usas para *hablar.*

_____

5. Las *palabras* están formadas por:

_____

6. Otra palabra para *dentro de poco.*

_____

El tiempo futuro

Encierra en un círculo las oraciones que hablan del futuro. Vuelve a escribir las demás oraciones para que hablen del futuro.

1. Trabajo con Eduardo.

2. Eduardo va a recoger muchas papas.

3. Mi papá plantó semillas.

4. Los niños sacaron la maleza.

5. Mía va a recoger frijoles con Juan.

6. Ariel tiene un gato como mascota.

_____

7. _____

8. _____

9. _____

10. _____

Nombre _____

Ortografía: Sílabas cerradas (patrón CCVC)

Escribe las palabras correctas para completar las oraciones. _____

1. El lunes fuimos a _____ mi cumpleaños.

brincar   celebrar

2. Al sapo le gusta _____ en la hierba.

brincar   fresco

3. ¿Qué _____ sabes escribir?

tablas   palabras

4. Mi tío me trajo tres _____ de cuentos.

libros   pronto

5. De joven, mi abuelo obtuvo muchos _____ .

logros   teclas

Repaso en espiral

🖊 Observa la palabra *ayer*, que habla del pasado. Encierra en un círculo los verbos que hablen del pasado. Luego, escríbelos.

1. Ayer mamá (trabaja/ trabajó) en la tienda nueva.

_____
- - - - - - - - - - - - - -
_____

2. (Abre/ Abrió) la tienda a las nueve.

- - - - - - - - - - - - - -
_____

3. Muchos niños (entran/ entraron) en la tienda.

_____
- - - - - - - - - - - - - -

4. Valeria (pide/ pidió) un juego nuevo.

- - - - - - - - - - - - - -
_____

5. Su mamá la (ayuda/ ayudó) a elegir.

- - - - - - - - - - - - - -

Planear mi narrativa personal

Tomás Rivera
Escritura: Escritura narrativa

✏️ Dibuja y escribe los detalles que cuentan
lo que sucedió primero, después y por último.

_____

- -

Mi tema: _____

Primero

↓

Después

↓

Por último

Gramática y escritura

Puedes escribir oraciones que hablen de lo que puede pasar en el futuro. Para hablar del futuro, debes agregar ciertas terminaciones al nombre del verbo. También puedes usar **ir a + verbo en infinitivo** para hablar del futuro.

> Ejemplo: Julia camina.
>
> Julia **caminará**.
>
> Julia **va a caminar**.

✏️ **Vuelve a escribir las oraciones para que hablen del futuro.**

1. Tomás corre lejos.

_____

- -

_____

2. Tomás fue al trabajo.

_____

- -

_____

3. Mi abuelo navega en su barco.

_____

- -

_____

- -

_____

El cuento de Conejito
Fonética: Pares de vocales *ae, ea, ee,*
eo, oe, oa

Pares de vocales *ae,* *ea*, *ee*, *eo*, *oe*, *oa*

Nombra los dibujos. Encierra en un círculo los grupos de letras que forman la palabra. Escribe la palabra.

1.

| cere | al | _____ |
| le | le | _____ |

2.

| ob | dor | _____ |
| roe | oe | _____ |

3.

| bu | ta | _____ |
| poe | ceo | _____ |

4.

| aero | ea | _____ |
| tar | sol | _____ |

5.

| koa | ee | _____ |
| la | cr | _____ |

Palabras que quiero saber

✏ Encierra en un círculo la mejor respuesta para cada pregunta.

1. ¿Qué palabra se relaciona con **menos**?   más   usan

2. ¿Qué palabra se relaciona con **secar**?   puerta   lavar

3. ¿Qué palabra se relaciona con **llave**?   quiero   puerta

4. ¿Qué palabra se relaciona con **papá**?   mamá   tratar

5. ¿Qué palabra se relaciona con **nuevo**?   viejo   lavar

6. ¿Qué palabra se relaciona con **tengo ganas de**?   viejo   quiero

7. ¿Qué palabra se relaciona con **probar**?   más   tratar

8. ¿Qué palabra se relaciona con **ellos** y **herramientas**?   usan   mamá

63

Pares de vocales *ae, ea, ee, eo, oe, oa*

✏️ Elige palabras del recuadro para nombrar los dibujos. Escribe las palabras debajo de los dibujos.

| poeta | maestra | correo | aldea | oasis | leer |

1. _____

_____

2. _____

_____

3. _____

_____

4. _____

_____

5. _____

_____

6. _____

_____

Ortografía: Pares de vocales *ae*, *ea*, *ee*, *eo*, *oe*, *oa*

El cuento de Conejito
Ortografía: Pares de vocales *ae, ea, ee, eo, oe, oa*

✏ Clasifica las palabras. Escribe las palabras de ortografía correctas en las columnas.

Palabras de ortografía

poeta
posee
cae
boa
creo
lee
tarea

Palabras con *oa*	Palabras con *ae*	Palabras con *eo*

Palabras con *ee*	Palabras con *oe*	Palabras con *ea*

El cuento de Conejito
Gramática: Preposiciones y frases
preposicionales

Frases preposicionales para indicar dónde o adónde

Encierra en un círculo las frases preposicionales de las oraciones. Escríbelas en las líneas.

1. Los animales corren hacia la cima.

_____

- -

_____

2. Todos comieron pastel en la casa.

_____

- -

_____

3. Nadie quiere volver a casa.

_____

- -

_____

Completa las oraciones. Escribe una frase preposicional que indique dónde.

_____

- -

4. El conejo vive _____.

_____

- -

5. El conejo caminó _____.

Detalles exactos

 Lee los detalles subrayados. Escribe detalles más exactos para completar las oraciones.

1. Vi <u>un animal</u>.

_____

- -

Vi _____.

2. Le di de comer <u>algo de comida</u>.

_____

- -

Le di de comer _____.

3. Empezó a <u>moverse por ahí</u>.

_____

- -

_____.

4. Le enseñaré <u>algo</u>.

_____

- -

Le enseñaré _____.

Nombre

Repasar sílabas cerradas (patrón CCVC) y pares de vocales *ae*, *ea*, *ee*, *eo*, *oe*, *oa*

Encierra en un círculo las palabras con el patrón CCVC y las palabras con los pares de vocales *ae*, *ea*, *ee*, *eo*, *oe*, *oa*.

1.
| releer | metros | kiwi | gusta |

2.
| aéreo | animales | aves | sorprende |

3.
| trompa | frasco | jugar | lápiz |

4.
| caracoles | frontera | croata | luces |

5.
| prensa | huevo | piel | teatro |

El cuento de Conejito

Ganso y Castor cuentan el cuento

¡Ganso y Castor van a contar lo que pasó!

Lee las páginas 164 a 169. Cuenta esta parte del cuento como si fueras Ganso. Di cómo se siente Ganso y qué pasó.

Nombre _____ Fecha _____

Lee las páginas 174 a 179. Cuenta esta parte del cuento como si fueras Castor. ¿Por qué está Castor enojado en la casa de Conejito? ¿Qué pasa después?

Lección 20
CUADERNO DEL LECTOR

El cuento de Conejito
Ortografía: Pares de vocales
ae, ea, ee, eo, oe, oa

Ortografía: Pares de vocales *ae*, *ea*, *ee*, *eo*, *oe*, *oa*

Traza líneas entre las palabras de la izquierda y la combinación de vocales que corresponde.

cae	oa
posee	
veo	oe
trae	
toalla	eo
boa	
tarea	ee
poeta	
lee	oe
creo	
	ea

Lección 20
CUADERNO DEL LECTOR

El cuento de Conejito
Gramática: Preposiciones y frases
preposicionales

Frases preposicionales para indicar cuándo

Encierra en un círculo las frases preposicionales de las oraciones. Escribe las preposiciones en las líneas.

1. Los amigos juegan por la tarde.

2. Se encuentran todos los días desde el mes pasado.

3. León me visitó a la mañana.

4. Me quedé en casa hasta el mediodía.

5. El parque cierra a las cinco.

6. Los amigos se van por la noche.

Ortografía: Pares de vocales *ae*, *ea*, *ee*, *eo*, *oe*, *oa*

✏️ Escribe las palabras correctas para completar las oraciones.

1. Necesito una _____ para secarme.

   toalla   **tarea**

2. La manzana _____ porque ya está madura.

   posee   **cae**

3. Tengo que terminar la _____ antes de ir a jugar.

   poeta   **tarea**

4. Los lunes, la maestra nos _____ cuentos.

   lee   **posee**

5. Sobre la rama del árbol, _____ un pájaro azul.

   creo   **veo**

Repaso en espiral

 Escribe las oraciones con el verbo correcto.

1. Este títere (es, son) pequeño.

2. Nosotros (son, somos) los primeros en llegar.

3. Los corderos (es, son) blancos.

4. El espectáculo (fue, fueron) gracioso.

5. Tú (es, eres) la mejor estudiante de la clase.

Gramática y escritura

El cuento de Coñejito
Gramática: Preposiciones y frases
preposicionales

Una **preposición** es una palabra que se une con otras para dar más información. Una **frase preposicional** es un grupo de palabras que empieza con una preposición. Una frase preposicional puede decir **cuándo** o **dónde**.

Ejemplo: Caminamos **por la mañana**.   cuándo
Caminamos **por el parque**.   dónde

Agrega una frase preposicional a las oraciones para decir cuándo o dónde.
Escribe las nuevas oraciones en las líneas.

1. Mis amigos y yo corremos.

_____

- -

_____

2. Merci siempre duerme.

_____

- -

_____

3. Me tropecé.

_____

- -

_____

4. Fui a casa.

_____

- -

_____

Sonrisas

Qué he aprendido sobre estos personajes.

Dibuja tu personaje favorito. Rotula tu dibujo.

Explica un dato que hace que este personaje sea especial.

El nombre de mi personaje

_____

- -

_____

Dato especial

_____

- -

_____

Sonrisas

Estas tres personas contribuyeron de maneras muy diferentes a nuestra cultura. Escribe una de las cosas importantes que hizo cada uno de ellos.

1.

2.

3.

Nombre _____

Diptongos *ia*, *ua*, *ue*, *üe*

 Encierra en un círculo la palabra que va con el dibujo.

1.

ansioso   anciano

2.

huevo   hueco

3.

cuadrado   aguja

4.

pequeña   cigüeña

5.

cuadro   cuando

6.

estado   estudiar

Palabras que quiero saber

✏️ Encierra en un círculo la palabra correcta para completar las oraciones.

1. Bruno fue a (volverse, ver) la nueva escuela.

2. Esta película es (mejor, ver) que la de ayer.

3. Las hojas empezaron a (volverse, noche) rojas.

4. Debes (pensar, decir) bien antes de responder.

5. Mi papá plantó un (ventana, árbol) en el jardín.

6. De (noche, árbol) puedes ver la luna.

7. Cierra la (mejor, ventana) si llueve.

8. ¿Me puedes (decir, pensar) dónde es la fiesta?

79

Nombre _____

Diptongos *ia*, *ua*, *ue*, *üe*

 Observa los dibujos y lee las palabras.
Escribe la palabra que va con el dibujo.

1.

fueron   fuego

_____

2.

momia   abuelo

_____

3.

piña   piano

_____

4.

bilingüe   cuaderno

_____

5.

huerta   puerta

_____

Ortografía: Palabras con los diptongos *ia, ua, ue, üe*

 Escribe las palabras de ortografía que riman con *era*, *actuando*, *mueve* y *trueno*.

Palabras de ortografía

- bueno
- cuando
- cuatro
- fuera
- hueso
- lluvia
- nuevo
- piano
- puede
- viaje

_____

- - - - - - - - - - - - - - -

1. Era rima con _____.

_____

- - - - - - - - - - - - - - -

2. Actuando rima con _____.

_____

- - - - - - - - - - - - - - -

3. Mueve rima con _____.

_____

- - - - - - - - - - - - - - -

4. Trueno rima con _____.

 Escribe la palabra de ortografía que nombra el dibujo.

5.

6.

7.

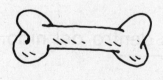

_____

- - - - - - - - - - - - - - -

_____

Nombre _____

Pronombres singulares (*él, ella*)

✏️ Encierra en un círculo los pronombres que pueden reemplazar las palabras subrayadas.

1. <u>Mi abuelo</u> construye una cabaña.

Él   Ella

2. <u>Mi abuela</u> lo ayuda.

Él   Ella

3. <u>Ana</u> ayuda a su abuelo con la cabaña.

Él   Ella

✏️ Escribe *Él* o *Ella* para reemplazar la palabra subrayada.

4. <u>Juan</u> ve un nido.

_____

_____ ve un nido.

5. <u>Ana</u> ve dos huevos dentro del nido.

_____

_____ ve dos huevos dentro del nido.

Diálogo

El jardín
Escritura: Escribir para expresar

Nombra otro problema que Sepo podría haber tenido con su jardín. Luego escribe lo que Sapo y Sepo podrían haber dicho.

Sepo seguía sin saber qué hacer con su jardín. Le preguntó a Sapo qué podía hacer.

_____

—¿_____

_____? —preguntó Sepo.

_____

_____ —dijo Sapo.

Lección 21
CUADERNO DEL LECTOR

El jardín
Fonética: Repasar los pares de
vocales *ae, ea, ee, eo, oe, oa* y los
diptongos *ia, ua, ue, üe*

Repasar los pares de vocales *ae*, *ea*, *ee*, *eo*, *oe*, *oa* y los diptongos *ia*, *ua*, *ue*, *üe*

✏️ Lee las oraciones. Encierra en un círculo la oración que describe el dibujo.

1. Creo que nuestro equipo ganó la competencia.

Creo que mañana puede caer un aguacero.

2. Después de leer un cuento, Ismael hizo la tarea.

Después de leer un cuento, a Ismael le dio sueño.

3. ¡Cuántos caracoles trajo el océano a la playa!

¡Cuántos paraguas veo en la plaza!

4. Juan desea jugar bien a cualquier deporte.

Juan desea ser muy bueno tocando la tuba.

5. La familia enseña a Zoe a usar los cubiertos.

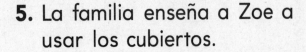

La familia enseña a Zoe a ir al museo.

El jardín

¿Podría haber pasado de verdad?

Piensa en el cuento y si podría haber pasado de verdad.

Lee las páginas 15 a 18. Lee lo que pasa. Decide si podría haber pasado de verdad. Explica por qué.

Qué pasa	¿Podría pasar de verdad? ¿Por qué?
Una rana y un sapo hablan.	
Las semillas no brotaron en cuanto las plantó en la tierra.	

Lee las páginas 19 a 29. Completa la tabla.

Qué pasa	¿Podría pasar de verdad? ¿Por qué?
Sapo dijo que las semillas no brotaban porque Sepo gritaba mucho.	
Las semillas tenían miedo de la oscuridad.	
El sol y la lluvia ayudan a que las semillas broten.	

Ortografía: Palabras con los diptongos *ia*, *ua*, *ue*, *üe*

✏️ Escribe la palabra de ortografía que nombra el dibujo.

Palabras de ortografía

bueno

cuando

cuatro

fuera

hueso

lluvia

nuevo

piano

puede

viaje

1.

_ _ _ _ _ _ _ _ _ _

2.

_ _ _ _ _ _ _ _ _ _

3.

_ _ _ _ _ _ _ _ _ _

4.

_ _ _ _ _ _ _ _ _ _

5.

_ _ _ _ _ _ _ _ _ _

6.

_ _ _ _ _ _ _ _ _ _

Pronombres plurales (*nosotros/as*, *ellos/as*)

✏️ Encierra en un círculo los pronombres que pueden reemplazar los sujetos subrayados.

1. Los trabajadores plantan árboles.

      Nosotros   **Ellos**

2. Las mujeres cuidan los árboles.

      Nosotras   **Ellas**

3. Paula y yo nos sentamos debajo de los árboles.

      Nosotras   **Ellas**

✏️ Escribe *Ellos*, *Ellas*, *Nosotros* o *Nosotras* para reemplazar los sujetos subrayados.

4. Papá y yo caminamos por el parque.

_____

_____ caminamos por el parque.

5. Pablo y Carla corren y juegan.

_____

_____ corren y juegan.

Planear mis oraciones

El jardín
Escritura: Escritura narrativa

✏️ Escribe y dibuja detalles que indiquen qué sucedió primero y después.

Mi tema: Cuando el jardín de Sepo empezó a crecer, Sapo y Sepo

_____

- -

_____.

Primero,

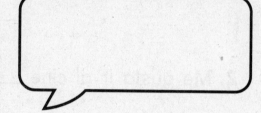

Después,

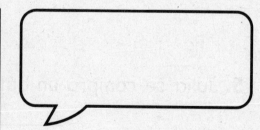

Nombre _____

El jardín
Ortografía: Diptongos *ia, ua, ue, üe*

Ortografía: Palabras con los diptongos *ia, ua, ue, üe*

✏️ Escribe la palabra correcta para completar las oraciones.

1. Juan es un niño muy _____ y amable. | sueño bueno

2. Me gusta ir al cine _____ llueve. | cuanto cuando

3. Tu casa es linda por dentro y por _____. | fuera fuerza

4. Celia no _____ venir a jugar hoy. | puede pides

5. Julia se compró un auto _____. | huevo nuevo

6. El caballo tiene _____ patas. | cuadro cuatro

7. Mi papá se fue de _____ a Miami. | viaje baje

Repaso en espiral

 Traza una línea debajo de las preguntas.

1. ¿Qué tipo de árbol es este?

2. ¿Tienen hojas todos los árboles?

3. Los pinos tienen piñas.

4. ¿Qué animales viven en los árboles?

5. Los pájaros viven en los árboles.

6. ¿Son necesarios los árboles?

7. Los árboles nos dan aire.

8. ¿Nos dan alimento los árboles?

Nombre ____

Gramática y escritura

El jardín
Gramática: Pronombres de sujeto

Los pronombres **él** y **ella** nombran a una sola persona.
Los pronombres **ellos**, **ellas**, **nosotros** y **nosotras** nombran a más de una persona.

Corrige los errores en las oraciones. Usa los símbolos de corrección.

Ejemplo: El abuelo terminó nuestra cabaña.
Él
~~Ella~~ está muy contento.
∧

1. Mamá serrucha. Él hace un estante para la cabaña.

2. Juan y yo conseguimos pintura. Ellos pintamos el estante.

3. Mamá tiene algunas uvas. Él las coloca en un tazón.

4. Mis amigas vienen a visitarnos. Nosotros quieren ver la cabaña.

Símbolos de corrección	
∧	agregar
——ℯ	quitar

Diptongos *io*, *iu*, *ie*

✏️ Lee las palabras. Encierra en un círculo el dibujo que va con la palabra.

1. premio		
2. cierre		
3. preciosa		
4. ciudad		
5. siete		
6. camión		

Palabras que quiero saber

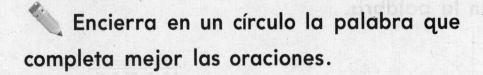 Encierra en un círculo la palabra que completa mejor las oraciones.

1. Hace un (año/seguir) que tenemos a nuestra perra Nieves.

2. Nieves tiene (joven/ocho) cachorritos.

3. Nieves alimentará a sus cachorros (aprender/hasta) que crezcan.

4. Los cachorritos van a (aprender/hasta) todo lo que Nieves les enseñe.

5. ¡Ella pronto va a (año/empezar) a enseñarles algunos trucos!

6. También tenemos una gata (cría/joven) con cuatro gatitos.

7. Uno de los gatitos quiere (seguir/empezar) a Nieves a todas partes.

8. ¡El gatito cree que es una (ocho/cría) de Nieves!

Nombre _____

Diptongos *io*, *iu*, *ie*

✏️ Lee las palabras del recuadro. Escribe la palabra que va con el dibujo. Luego separa cada palabra en sílabas.

cielo	piedra	ciervo	subió	dolió

1.

_____

- - - - - - - - - - - - - - - -

_____

2.

_____

- - - - - - - - - - - - - - - -

_____

3.

_____

- - - - - - - - - - - - - - - -

_____

4.

_____

- - - - - - - - - - - - - - - -

_____

5.

_____

- - - - - - - - - - - - - - - -

_____

Fonética

95

Grado 1, Unidad 5

Ortografía: Palabras con los diptongos *io, iu, ie*

Palabras de ortografía

ciegos

ciudad

despacio

diez

medio

patio

pie

silencio

tiene

vieran

✏️ Escribe la palabra de ortografía que tiene el diptongo *iu*.

_____

- - - - - - - - - - - - - -

1. _____

✏️ Escribe las palabras de ortografía que tienen el diptongo *ie*.

_____   _____

- - - - - - - - - - - - -   - - - - - - - - - - - - -

2. _____   3. _____

_____   _____

- - - - - - - - - - - - -   - - - - - - - - - - - - -

4. _____   5. _____

_____

- - - - - - - - - - - - -

6. _____

✏️ Escribe las palabras de ortografía que tienen el diptongo *io*.

_____   _____

- - - - - - - - - - - - -   - - - - - - - - - - - - -

7. _____   8. _____

_____   _____

- - - - - - - - - - - - -   - - - - - - - - - - - - -

9. _____   10. _____

Nombrarte último

✏️ Encierra en un círculo las palabras correctas para completar las oraciones.

1. _____ vemos la cabra.

   Yo y María   María y yo

2. _____ acariciamos una oveja.

   Yo y Carlos   Carlos y yo

3. _____ miramos los patos.

   Raúl y yo   Yo y Raúl

✏️ Escribe las palabras del recuadro para completar la oración.

| Karina   yo |

_____ _____

----

4. _____ y _____

tocamos a las crías de la serpiente.

Verbos precisos

Haz un dibujo de un animal para un cuento. Pon un nombre a tu animal.

Nombre: _____

Completa estas oraciones narrativas sobre tu animal. Usa verbos precisos.

_____ _____

_____ es un _____.
      nombre   tipo de animal

A _____ le gusta _____.
      sustantivo   verbo preciso

¡_____ siempre _____ mucho!
      sustantivo   verbo preciso

Repasar los diptongos
ia, *ua*, *ue*, *üe*

✏️ Elige una palabra del recuadro para nombrar los dibujos. Escribe la palabra.

cigüeña huevo familia cuadro sueño abuelo

1.

_____

- - - - - - - - - - - - - - -

_____

2.

_____

- - - - - - - - - - - - - - -

_____

3.

_____

- - - - - - - - - - - - - - -

_____

4.

_____

- - - - - - - - - - - - - - -

_____

5.

_____

- - - - - - - - - - - - - - -

_____

6.

_____

- - - - - - - - - - - - - - -

_____

Animales asombrosos

¿Dónde viven?

¡Todos los animales están mezclados! Escribe dónde vive cada animal. Después, escribe las claves que usaste para hallar la respuesta.

laguna	océano	Ártico	desierto	praderas

Lee las páginas 48 a 50.   _____

¿Dónde vive el oso?   _____

¿Qué claves usaste?

_____

_____

Lee las páginas 51 a 54.   _____

¿Dónde vive el camello?   _____

¿Qué claves usaste?

_____

_____

Lee las páginas 55 a 56.

¿Dónde vive el pato?

¿Qué claves usaste?

Lee las páginas
57 a 58.

¿Dónde vive la jirafa?

¿Qué claves usaste?

Lee las páginas 59 a 65.

¿Dónde vive el delfín?

¿Qué claves usaste?

Ortografía: Palabras con los diptongos *io, iu, ie*

Escribe la palabra de ortografía que corresponde con cada clave.

Palabras de ortografía
ciegos
ciudad
despacio
diez
medio
patio
pie
silencio
tiene
vieran

1. Opuesto de *rápido*

_____

2. Viene después del nueve

_____

3. Opuesto de *ruido*

_____

4. Parte del cuerpo

_____

5. Espacio en una casa
   al aire libre

_____

6. Lugar donde hay casas,
   edificios y calles

_____

Nombrarte con *yo*

 Escribe las oraciones correctamente.

1. Javier y mí visitamos una granja.

- -

_____

2. Mí y Paula alimentamos a los patos.

- -

_____

3. Ariel y mí acariciamos a la oveja.

- -

_____

4. Yo y Rosa vemos a los corderos.

- -

_____

5. Julia y mí agarramos al gatito.

- -

_____

Planear mis oraciones

Escribe y dibuja detalles que indiquen qué sucedió primero y después.

Mi tema: Voy a escribir sobre un

_____

- - - - - - - - - - - - - - - - - - -

_____ .

Primero

↓

Después

↓

Así es cómo terminará mi cuento:

Ortografía: Palabras con los diptongos *io, iu, ie*

Palabras de ortografía
ciegos
ciudad
despacio
diez
medio
patio
pie
silencio
tiene
vieran

✏️ Escribe la palabra de ortografía que completa las oraciones.

1. Cuando nacieron, los perritos eran

_____

_____ pero ahora todos ven muy bien.
_____

2. La jirafa _____ un cuello

muy largo.
_____

3. Me gustaría que mis amigos _____

mi bicicleta nueva.
_____

4. Mi casa queda a _____ camino entre la escuela y

el parque.
_____

5. Mis tíos viven en una gran _____ .

_____

6. ¿Por qué no salimos a jugar al _____?

Repaso en espiral

✏️ Traza una línea debajo de las dos oraciones más cortas de cada oración compuesta.

1. ¿Podemos ir al zoológico o hace demasiado frío?

2. Quiero ver los patos, pero ellos quieren ver los zorros.

✏️ Escribe una oración compuesta combinando las dos oraciones más cortas.

4. Papá hizo un pastel.   Nosotros le ayudamos.

_____

_____ y ____

_____

Gramática y escritura

Usa el **pronombre** *yo* en el sujeto de una oración. Nómbrate último para hablar de algo que han hecho tú y otra persona.

✏ Corrige los errores en estas oraciones. Usa los símbolos de corrección.

Tomás yo
Ejemplo: ~~Yo~~ y ~~Tomás~~ vemos unos patitos.

1. Yo y María alimentamos al cachorro.

2. Yo y José acariciamos al becerro.

3. Yo y Hugo observamos a los cochinitos.

4. Yo y Raúl miramos a los pichones.

Símbolos de corrección	
∧	agregar
﹍	quitar

Diptongos *ai*, *ay*, *au*, *oi*, *oy*

Encierra en un círculo la palabra que va con el dibujo.

1.

bailar   tocar

2.

bocina   boina

3.

fruta   flauta

4.

astuto   autobús

5.

oigo   soy

6.

hay   hoy

Palabras que quiero saber

Encierra en un círculo la palabra que completa mejor las oraciones.

1. El niño fue al parque (junto/comenzar) con sus amigos.

2. La caja no tiene (papá/nada) en su interior.

3. El nuevo (niño/junto) se llama Daniel.

4. Daniel y su (nada/papá) van a pescar.

5. Mi (casa/a lo largo) tiene una puerta azul.

6. Juana iba dando saltitos (casa/a lo largo) del sendero.

7. Voy a cantar la canción (otra vez/niño).

8. Pronto, la campana va a (casa/comenzar) a sonar.

Diptongos *ai*, *ay*, *au*, *oi*, *oy*

 Encierra en un círculo la oración que va con el dibujo.

1. —Oigan, hay helado de vainilla.

—Oigan todos: ¡A las
seis hay una fiesta!

2. ¡Qué lindo paisaje!

¡Qué linda ciudad!

3. Hoy Paula me regaló un libro.

Hoy mi papá me trajo este pequeño baúl.

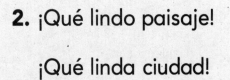

4. Mi mamá sacó boletos para ir a Uruguay.

Mi mamá siempre baila en competencias.

5. ¡Ay! Ese autobús que
pasó los dejó muy sucios.

Estoy contenta de que no se ensuciaran.

Lección 23
CUADERNO DEL LECTOR

Un silbato para Willie
Ortografía: Diptongos
ai, ay, au, oi, oy

Ortografía: Palabras con los diptongos *ai*, *ay*, *au*, *oi*, *oy*

Clasifica las palabras. Escribe las palabras de ortografía correctas en las columnas.

Palabras de ortografía
aire
auto
boina
hay
hoy
jaula
oigo
voy
causa

Palabras con *ai*, *ay*	Palabras con *au*	Palabras con *oi*, *oy*
_____	_____	_____
_____	_____	_____
_____	_____	_____
_____	_____	_____
	_____	_____
	_____	_____

Usar *mi*, *tu* y *su*

Escribe el pronombre posesivo correcto para completar las oraciones.

_____

- - - - - - - - - - - - - - - - -

1. Abrazo a _____ perra Tita.

mi   mío

_____

- - - - - - - - - - - - - - - - -

2. Tita corre detrás de _____ palo.

su   ella

_____

- - - - - - - - - - - - - - - - -

3. ¿Trajiste a _____ perro, Enrique?

tuyo   tu

_____

- - - - - - - - - - - - - - - - -

4. El perro de Enrique entierra _____ hueso.

su   suyo

_____

- - - - - - - - - - - - - - - - -

5. Podemos jugar con Tita en _____ jardín.

mi   yo

Orden de los sucesos

✏️ Termina las oraciones. Resume la
primera parte de *Un silbato para Willie*.

_____

_____

Pedro deseaba _____.

_____

Intentaba _____.

_____

Cuando Pedro vio a Willie, _____

_____

_____.

_____

Entonces, Willie _____

_____

_____.

Repasar los diptongos *io*, *iu*, *ie* y los diptongos *ai*, *ay*, *au*, *oi*, *oy*

Lee las palabras. Encierra en un círculo el diptongo que está en la palabra.

1.	2.
sauna	pie
iu au	ay ie

3.	4.
premio	baile
io oi	ay ai

5.	6.
ciudad	androide
au iu	oi io

Un silbato para Willie

Imágenes con palabras

Los buenos lectores visualizan imágenes en su mente al leer.

Lee las páginas 83 a 87. Dibuja lo que Pedro está haciendo en la página 86. Escribe las palabras que te ayudan a imaginártelo.

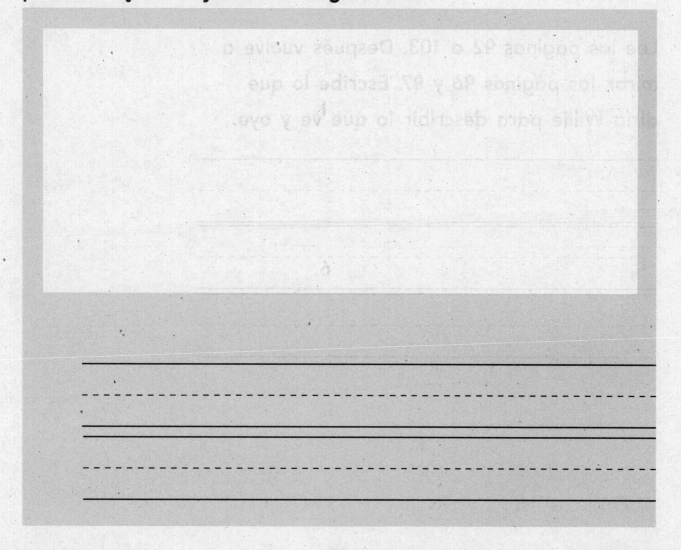

Lee las páginas 88 a 91. ¿Ves el gato?

Escribe lo que diría el gato para describir

lo que ve y oye que está haciendo Pedro.

_____

- -

_____

- -

_____

- -

_____

Lee las páginas 92 a 103. Después vuelve a

mirar las páginas 96 y 97. Escribe lo que

diría Willie para describir lo que ve y oye.

_____

- -

_____

- -

_____

- -

_____

Un silbato para Willie
Ortografía: Diptongos
ai, ay, au, oi, oy

Ortografía: Palabras con los diptongos *ai, ay, au, oi, oy*

Escribe cada grupo de palabras de ortografía en orden alfabético.

Palabras de ortografía
aire
boina
auto
fauna
hay
hoy
voy
oigo
causa
jaula

aire	hoy	fauna	auto
voy	hay	oigo	boina
causa		jaula	
_____		_____	
------		------	
_____		_____	
_____		_____	
------		------	
_____		_____	
_____		_____	
------		------	
_____		_____	
_____		_____	
------		------	
_____		_____	

Usar *mío*, *tuyo* y *suyo* como pronombres posesivos

Escribe el pronombre posesivo correcto para completar las oraciones.

1. Me encantó uno de los libros _____ .

tus   tuyos

2. Aquel silbato _____ suena muy bien.

sus   suyo

3. Este lápiz _____ no pinta bien.

mi   mío

4. Te regalo una muñeca _____ para que puedas

jugar.   mías   mía

5. Deja a ese perro _____ , no podemos tocarlo.

su   suyo

Planear mi resumen

✏️ Escribe oraciones y dibuja detalles para tu resumen de *Un silbato para Willie*.

Mi tema: _____

Ortografía: Palabras con los diptongos *ai, ay, au, oi, oy*

Un silbato para Willie
Ortografía: Diptongos
ai, ay, au, oi, oy

Palabras de ortografía

aire
auto
boina
fauna
hay
hoy
oigo
voy
causa
jaula

🖉 Escribe la palabra correcta en las oraciones.

_____

1. _____ a la tienda a

_____

comprar una _____ nueva.

_____

2. _____ mi papá me llevó a

_____

la escuela en _____.

_____   _____

3. _____ una _____ muy variada en

esta región.

Repaso en espiral

Escucha los nombres de los días y meses del Banco de palabras. Repítelos. Escribe las oraciones correctamente.

Banco de palabras

marzo   abril   julio   lunes   domingo

1. La tienda abrió el 13 de Marzo de 1999.

_____

- -

_____

2. Todos los Lunes de Abril tengo lecciones de piano.

_____

- -

_____

3. El día de la independencia no vamos a la escuela.

_____

- -

_____

4. El próximo Domingo iremos al cine.

_____

- -

_____

5. Mi cumpleaños es el 14 de Julio.

_____

- -

_____

Gramática y escritura

- Las palabras **mi, tu** y **su** se usan para decir a quién pertenece algo. Son pronombres y se escriben antes del sustantivo.

- Las palabras **mío, tuyo** y **suyo** también se usan para decir a quién pertenece algo, pero se escriben después del sustantivo.

- Son masculinos o femeninos y plurales o singulares según el sustantivo que acompañan.

**Corrige los errores en estas oraciones.
Usa los símbolos de corrección.**

Ejemplo: Encontré un perro ~~su~~. **suyo**

1. Juego con mío gato.

2. Me gusta comer cereales en tuyo tazón.

3. Quiero que me prestes un juguete tu.

4. Javier tiene muchos conejitos y me va a regalar uno su.

Símbolos de corrección	
∧	agregar
﹍	quitar

Diptongos *ei, ey, ui, uy, üi*

 Encierra en un círculo la palabra que nombra el dibujo.

1.

virrey   peinado

2.

rey   ley

3.

paquete   pingüino

4.

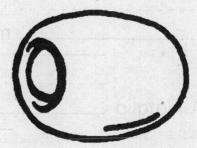

viento   aceituna

5.

río   ruinas

6.

aceite   afeite

Palabras que quiero saber

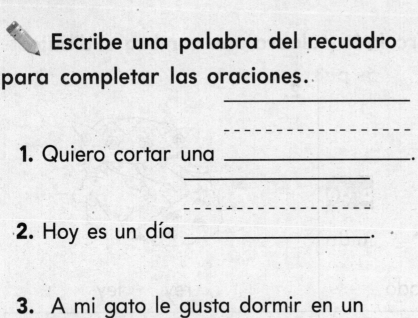 Escribe una palabra del recuadro para completar las oraciones.

Palabras que quiero saber

listo

cualquier cosa

clase

lugar

también

flor

cálido

suelo

1. Quiero cortar una _____.

2. Hoy es un día _____.

3. A mi gato le gusta dormir en un
_____ mullido.

4. A Natalia _____ le gustan los helados.

5. El escondite es una _____ de juego.

6. ¿Estás _____ para salir, Martín?

7. Puedes comprarte _____ menos golosinas.

8. El _____ está mojado.

Diptongos *ei*, *ey*, *ui*, *uy*, *üi*

Los árboles son plantas
Fonética: Diptongos *ei, ey, ui, uy, üi*

✏️ Escribe las palabras que completan mejor las oraciones. Usa las palabras del Banco de palabras.

Banco de palabras

muy   treinta   cuidado   béisbol   fuimos

_____

1. Ayer invité a _____ amigos a mi cumpleaños.

_____

2. Primero _____ un rato al jardín.

_____

3. Allí jugamos al _____ .

_____

4. Mamá nos pidió que tuviéramos _____ con las plantas.

_____

5. Después de una hora estábamos todos _____ cansados.

Ortografía: Palabras con los diptongos *ei, ey, ui, uy*

🖊 Escribe las palabras con los diptongos *ui* y *uy*.

Palabras de ortografía
ley
muy
peine
pleito
reina
rey
ruido
seis
juicio
veinte

1. _____   2. _____

3. _____

🖊 Escribe las palabras con los diptongos *ei* y *ey*.

4. _____

5. _____   6. _____

7. _____   8. _____

9. _____   10. _____

Pronombres indefinidos

✏️ Los **pronombres indefinidos** son pronombres especiales que se usan en lugar de usar nombres de personas o cosas.

Banco de palabras

cualquiera	alguien	todo
algo	muchos	alguno

✏️ Traza una línea debajo del pronombre indefinido de cada oración.

1. Sabe todo sobre árboles.

2. ¿Quiere alguien una manzana?

3. Cualquiera puede aprender.

✏️ Escribe un pronombre indefinido del Banco de palabras para completar cada oración.

4. Aprendí _____ sobre árboles.

5. ¿Le gustan a _____ las manzanas?

Describir a los personajes

🖉 Escribe detalles claros para terminar este
cuento. Algunos detalles deben describir a Luis y a
su perrita Reina.

_____

Reina era una perrita _____. Vivía con un niño muy

_____   _____

_____ llamado Luis. Luis la _____

y la _____ con un _____. A Reina

le gustaba divertirse durante el baño. —¡Con cuidado, Reina!—

_____

decía Luis—¡vas a dejar todo _____!

Los árboles son plantas
Fonética: Repasar los diptongos *ai,*
ay, au, oi, oy y los diptongos
ei, ey, ui, uy, üi

Repasar los diptongos *ai*, *ay*, *au*, *oi*, *oy* y los diptongos *ei*, *ey*, *ui*, *uy*, *üi*

Encierra en un círculo las dos palabras
de cada hilera que tienen el mismo diptongo.
Escribe las letras que forman el diptongo.

1.	aplauso	puedo	aumento	___ ___ ----- ----- ___ ___
2.	cuidar	fluidez	cuadro	___ ___ ----- ----- ___ ___
3.	ciudad	moisés	boina	___ ___ ----- ----- ___ ___
4.	hay	voy	soy	___ ___ ----- ----- ___ ___
5.	buey	reino	pejerrey	___ ___ ----- ----- ___ ___

Los árboles son plantas

Diagramas de árboles

Lee las páginas 136 y 137. Dibuja un árbol con hojas y raíces. Usa flechas verdes para mostrar hacia dónde van los alimentos. Usa flechas azules para mostrar hacia dónde va el agua.

Lee las páginas 128 a 147. Dibuja un manzano en cada estación del año. Empieza con la primavera. Escribe el nombre de cada estación.

_____

- - - - - - - - - - - - - -

_____

_____

- - - - - - - - - - - - - -

_____

_____

- - - - - - - - - - - - - -

_____

_____

- - - - - - - - - - - - - -

_____

131

Los árboles son plantas
Ortografía: Diptongos *ei, ey, ui, uy*

Ortografía: Palabras con los diptongos *ei, ey, ui, uy*

Palabras de ortografía
ley
muy
peine
pleito
reina
rey
ruido
seis
veinte
juicio

Escribe los grupos de palabras de ortografía en orden alfabético.

ley	rey	muy	ruido
peine	seis	veinte	juicio
reina	pleito		

Pronombres indefinidos

Los **pronombres indefinidos** son pronombres especiales que se usan en lugar de usar nombres de personas o cosas.

Banco de palabras

todo	alguien	todos
algo	muchos	alguna

Escribe un pronombre indefinido del Banco de palabras para completar cada oración.

1. Conocimos a _____ en el parque.

2. ¿Tienes _____ de comer?

3. ¿Podemos recoger _____ manzana?

4. Metí _____ en mi mochila.

5. A _____ nos gustan las manzanas rojas.

Ortografía: Palabras con los diptongos *ei, ey, ui, uy*

✏️ Escribe las palabras de ortografía que riman con las siguientes palabras.

Palabras de ortografía
ley
peine
pleito
reina
ruido
seis
muy
rey
veinte
juicio

1. pejerrey _____

2. buey _____

3. diente _____

4. reine _____

5. veintiséis _____

6. despeina _____

7. afeito _____

8. cuido _____

Repaso en espiral

Vuelve a escribir las oraciones para que hagan referencia al futuro.

1. Dejó de llover.

_____

- -

_____

2. Caminé hasta el parque.

_____

- -

_____

3. Veo muchas mariposas.

_____

- -

_____

4. Miro las mariposas desde un banco.

_____

- -

_____

- -

_____

5. La mariposa se posó en una flor.

_____

- -

_____

- -

_____

Planear mi cuento

Escribe y dibuja detalles para tu cuento.

Personajes	Escenario

Trama

Comienzo

Desarrollo

Final

Gramática y escritura

✏️ Usa los **pronombres indefinidos** en lugar de usar nombres de personas o cosas.

Banco de palabras

alguien	todos	cualquiera
nadie	mucho	alguno

✏️ Escribe un pronombre indefinido del Banco de palabras para completar cada oración.

1. _____ fuimos a la granja.

2. El granjero sabía _____ de manzanos.

3. Ayudó a _____ a recoger manzanas.

4. No quería que _____ se lastimara.

Sufijos *-ito*, *-ita*, *-ado*, *-ada*

 Encierra en un círculo la palabra que nombra el dibujo.

1.

vaquita   corderito

2.

abrigada   cansada

3.

ratito   ratita

4.

coloreado   coronita

5.

sentado   arado

6.

nublado   soleado

Nombre _____

Palabras que quiero saber

 Traza una línea para unir cada dibujo con la palabra que le corresponde.

1.   **familia**

2.   **escuela**

3.   **fiesta**

4.   **ciudad**

5.   **comprar**

6.   **yo mismo**

Usa las palabras *siete* y *por favor* juntas en una oración.

_____

- -

_____

Sufijos *-ito*, *-ita*, *-ado*, *-ada*

✏️ **Encierra en un círculo las palabras que completan mejor las oraciones.**

1. Tengo una mascota nueva. Es un _____ negro.

perrito   sombrerito

2. Me lo ha _____ mi tío Luis.

ayudado   regalado

3. Por las noches, le gusta mirar la luna desde mi _____.

vasito   ventanita

4. Hoy mi perrito no ha _____ mucho.

ladrado   cantado

5. Seguramente ladrará cuando vea a mi mamá _____ en la cocina.

ocupado   atareada

6. Ella le dará un delicioso _____.

huesito   mesita

Ortografía: Palabras con los sufijos *-ito*, *-ita*, *-ado*, *-ada*

✏️ Clasifica las palabras. Escribe las palabras de ortografía correctas en cada columna.

Palabras de ortografía

ayudado
casita
llamado
ocupada
perrito
sentada
sillita
todita
chiquito
asustado

Palabras con -ito, -ita	Palabras con -ado, -ada

Contracciones *al y del*

✏️ Escribe un artículo del recuadro para completar las oraciones.

Banco de palabras

al

del

1. Mi familia y yo nos hemos mudado _____

_____ campo.

2. Leo las páginas _____ libro.

3. Enero es el mes más frío _____ año.

4. Hoy vamos _____ parque.

5. Tengo los mejores amigos _____ mundo.

Oraciones de diferentes longitudes

El amigo nuevo
Escritura: Escritura narrativa

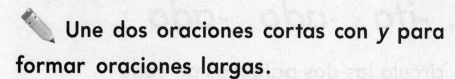 **Une dos oraciones cortas con y para formar oraciones largas.**

---

1. Javier se mudó a una nueva ciudad. Estaba feliz.

_____

_ _

_____

_ _

y _____ .

---

2. La ciudad queda lejos. Es muy grande.

_____

_ _

_____

_ _

y _____ .

---

3. Javier conoció a nuevos amigos. Vio lugares nuevos.

_____

_ _

_____

_ _

y _____ .

El amigo nuevo
Fonética: Repasar los diptongos *ei,*
ey, ui, uy y los sufijos *-ito, -ita,*
-ado, -ada

Repasar los diptongos *ei*, *ey*, *ui*, *uy* y los sufijos *-ito*, *-ita*, *-ado*, *-ada*

Encierra en un círculo las dos palabras de cada fila que tienen el mismo diptongo o el mismo sufijo. Escribe las letras que forman el diptongo o el sufijo.

1.

aceite   agua   reino

___ ___

2.

virrey   buey   siente

___ ___

3.

juego   fuimos   construir

___ ___

4.

carrito   nubecita   florcita

___ ___ ___

5.

calmado   mojada   enojado

___ ___ ___

Guía del lector

El amigo nuevo

¡Conoce a Makoto!

¡Presenta a Makoto a tus compañeros de clase!

Lee las páginas 166 a 173. Escribe tres cosas
que sepas de Makoto. Dibújalo.

_____

- -

_____

_____

- -

_____

Lee las páginas 174 a 181. Makoto quiere llevar algo al salón de clases para hablar de su vida. Dibuja lo que lleva. Después, escribe una oración para explicar por qué eligió eso.

Ortografía: Palabras con los sufijos *-ito*, *-ita*, *-ado*, *-ada*

✏️ Escribe la palabra de ortografía que se corresponde con cada pista.

Palabras de ortografía
ayudado
casita
llamado
ocupada
perrito
sentada
sillita
todita
chiquito
asustado

_____

1. Opuesto de *parada*

_____

2. Tipo de mascota

_____

3. Lugar pequeño para vivir

_____

4. Mueble para sentarse

_____

5. Sinónimo de *atareada*

_____

6. Opuesto de *grande*

_____

Contracciones *al y del*

Escribe una contracción del recuadro para
reemplazar las palabras subrayadas.

Banco de palabras

al   del

1. Hoy es el primer día <u>de el</u> verano.

_____

- - - - - - - - - - - - - - - - -

_____

2. Voy a ir <u>a el</u> club con mi nuevo amigo Pablo.

_____

- - - - - - - - - - - - - - - -

_____

3. Pablo es el hijo <u>de el</u> vecino.

_____

- - - - - - - - - - - - - - -

_____

4. Primero mi mamá nos llevará <u>a el</u> centro a comprar

un helado.

_____

- - - - - - - - - - - - - - - -

_____

Ortografía: Palabras con los sufijos *-ito*, *-ita*, *-ado*, *-ada*

Palabras de ortografía
ayudado
casita
llamado
ocupada
perrito
sentada
sillita
todita
chiquito
asustado

✏️ Escribe las palabras de ortografía que completan las oraciones.

1. Le hice una _____ preciosa a mi nueva mascota.

2. El niño estaba _____ por la tormenta.

3. Mi hermanito lloró _____ la mañana.

4. Mi hermana me ha _____ a resolver el ejercicio.

5. Mamá nos ha _____ para almorzar.

6. No te sientes en esa _____ porque está rota.

Repaso en espiral

Encierra en un círculo la frase preposicional en las oraciones. Decide si la frase preposicional indica dónde o cuándo. Escribe *dónde* o *cuándo* en la línea.

1. Máxima y Valeria juegan después de la escuela.

2. Se encuentran en el parque.

3. La cometa de Valeria se enreda en un árbol.

4. Juegan carreras en el pasto.

5. El parque cierra a las seis.

6. Las amigas siempre juegan juntas por la tarde.

Gramática y escritura

- Una contracción es la unión de dos palabras.
- **Al** es la unión de *a + el* y **del** es la unión de
  de + el.

Corrige los errores en estas oraciones. Usa
los símbolos de corrección.

Ejemplo: Mi nuevo amigo vive en la casa

de ~~a el~~ al lado.
       ∧

1. Después de el almuerzo fui a su casa.

2. Su mamá nos llevó a el cine.

3. Un empleado de el cine nos vendió palomitas de maíz.

4. Más tarde fuimos a el parque.

5. La mamá de el nuevo vecino nos compró un refresco.

Símbolos de corrección	
∧	agregar
⟋	quitar

Sufijos *-oso*, *-osa*

Observa las ilustraciones. Lee la palabra base. Encierra en un círculo la palabra con *-oso* u *-osa* que se relacione con la ilustración y con la palabra que aparece debajo de ella.

1. sabor	peligroso amistoso **sabroso**	
2. hábil	**habilidosa** ingenioso amistosa	
3. delicia	precioso **delicioso** gracioso	
4. talento	lloroso **talentoso** famosa	
5. amistad	caluroso **amistosa** famoso	
6. mimo	**mimoso** costoso precioso	

Palabras que quiero saber

🖊 Encierra en un círculo la palabra correcta para completar cada oración.

1. Un (inclusive, maestro) te ayuda a aprender.

2. Por favor, no olvides (tomar, estudiar) tu desayuno antes de salir.

3. Un (oso, sorpresa) es un animal grande.

4. La lámpara está (encima, oso) del estante.

5. La mamá dijo que hay que (maestro, devolver) la camisa a la tienda.

6. José se llevó una (sorpresa, tomar) con su regalo de cumpleaños.

7. Toda la familia estaba allí, la abuela, (inclusive, devolver).

8. Pedro tenía que (encima, estudiar) para su examen.

Sufijos *-oso, -osa*

Encierra en un círculo la palabra que describa mejor la ilustración.

1. El vaquero es _____ con la soga.

   amistoso   asombroso

2. El payaso es _____.

   hermoso   gracioso

3. El toro nunca es _____.

   famosa   miedoso

4. La niña es _____ con el caballo.

   miedoso   afectuosa

Ortografía: Sufijos -*oso*, -*osa*

El punto
Ortografía: Sufijos -*oso*, -*osa*

Palabras de ortografía
cariñoso
chistoso
deliciosa
famosa
graciosa
hermosa
jugoso
poderoso
dudosa
glorioso

✏️ Escribe las palabras de ortografía que terminan con -*oso*.

1. _____

2. _____

3. _____

4. _____

5. _____

✏️ Escribe las palabras de ortografía que terminan con -*osa*.

6. _____

7. _____

8. _____

9. _____

10. _____

¿Qué es una exclamación?

 Traza una línea debajo de las exclamaciones.

1. ¡La muestra de arte fue grandiosa!

Había muchas pinturas.

2. ¿Pudiste ver la pintura del perro?

¡Esa fue la que más me gustó!

3. Lucía y Joaquín organizaron juntos el espectáculo.

¡Fue un trabajo asombroso!

4. ¡Ojalá nuestra clase pueda ver el espectáculo!

¿No crees que será así?

5. Carina vio el espectáculo ayer.

¡Quiere verlo otra vez!

El punto
Escritura: Escritura de opinión

Mostrar emociones fuertes

✏️ Completa estas oraciones que dicen tu opinión sobre la maestra de Vashti. Escribe una exclamación que muestre una emoción fuerte.

Oración principal

Creo que la maestra de Vashti es _____

_____

_____

Oración de detalle

Lo creo porque _____

_____

_____

Oración de detalle

También lo creo porque _____

_____

_____

Lección 26
CUADERNO DEL LECTOR

El punto
Fonética: Repasar los sufijos
-ito, -ita, -ado, -ada y -oso, -osa

Repasar los sufijos -ito, -ita, -ado, -ada y -oso, -osa

Encierra en un círculo la palabra que va con la ilustración. Escribe la palabra.

1.

ansioso   conejito

_____

_ _ _ _ _ _ _ _ _ _ _ _ _

_____

2.

campito   mimado

_____

_ _ _ _ _ _ _ _ _ _ _ _ _

_____

3.

sabrosa   pesada

_____

_ _ _ _ _ _ _ _ _ _ _ _ _

_____

4.

resbaloso   callado

_____

_ _ _ _ _ _ _ _ _ _ _ _ _

_____

5.

ventanita   respetado

_____

_ _ _ _ _ _ _ _ _ _ _ _ _

_____

6.

curiosa   cansado

_____

_ _ _ _ _ _ _ _ _ _ _ _ _

_____

El punto

Premios de arte

En las exposiciones de arte suelen dar premios.
Los premios se dan a las mejores obras de arte.

Lee las páginas 15 a 29. Aquí tienes un premio
para la mejor obra de arte de la exposición.

El mejor punto

¿Qué obra de arte ganó el premio?

_____
_ _
_____
_ _
_____

¿Por qué ganó el premio?

_____
_ _
_____
_____
_ _
_____
_____
_ _
_____

Nombre _____ Fecha _____

Lee las páginas 30 a 33. Dibuja lo que crees que va a ser la siguiente obra de arte del niño. Dale un premio a la obra.

El mejor punto

¿Por qué ganó este premio?

_____

_____

_____

_____

Ortografía: Sufijos *-oso, -osa*

✏️ Agrega *-oso* a las palabras base. Luego, escribe la palabra de ortografía en la línea.

Palabras de ortografía

cariñoso

chistoso

deliciosa

famosa

graciosa

hermosa

jugoso

poderoso

dudosa

glorioso

1. poder _____

_____

2. chiste _____

_____

3. cariño _____

✏️ Agrega *-osa* a las palabras base. Luego, escribe la palabra de ortografía en la línea.

_____

4. fama _____

_____

5. gracia _____

Escribir exclamaciones y uso del acento

 Escribe las oraciones como exclamaciones.
Comienza y termina las oraciones correctamente.
Recuerda agregar el acento a los adverbios
exclamativos.

1. que hermosos colores

_____

_____

2. como me gustan mis lápices nuevos

_____

_____

3. mi pintura ganó un premio

_____

_____

4. hay demasiado papel

_____

_____

5. estamos ansiosos por dibujar

_____

_____

Planear mis oraciones

 Escribe tu opinión. Luego escribe razones que digan por qué.

Mi opinión

Primera razón

Segunda razón

Oración de cierre

Ortografía: Sufijos -oso, -osa

✏️ Escribe la palabra de ortografía correcta para completar las oraciones.

1. Su tía hacía la torta más _____ del mundo.
   (deliciosa, cariñoso)

2. Mi gatito es muy _____. (glorioso, cariñoso)

3. ¡Juan es un jugador de fútbol _____!
   (jugoso, glorioso)

4. Compra un melocotón _____.
   (jugoso, cariñoso)

5. Es una tarde _____ para pasear.
   (famosa, hermosa)

Repaso en espiral

✏️ **Encierra en un círculo el pronombre que pueda reemplazar las palabras subrayadas.**

1. <u>Juan y Alfredo</u> quieren pintar.

    Nosotros   **Ellos**   **Él**

2. <u>Alejandro</u> hizo un dibujo de un cachorrito.

    Esto   **Él**   **Ella**

3. <u>Graciela</u> hizo la pintura más grande.

    Nosotros   **Ella**   **Él**

✏️ **Escribe *Él*, *Ella*, *Nosotros*, *Nosotras*, *Ellos* o *Ellas* para reemplazar las palabras subrayadas.**

4. <u>Juana</u> fue a una tienda de arte. _____

5. <u>Roberto y Elizabeth</u> también fueron. _____

6. <u>Alicia y yo</u> nos saludamos contentos. _____

Gramática y escritura

Una **exclamación** es una oración que indica una emoción fuerte. Lleva signos de exclamación al comienzo y al final. (¡!)

Ejemplo: Melisa es una gran artista.

Corregida: ¡Melisa es la mejor artista que conozco!

 Repasa las oraciones. Conviértelas en exclamaciones.

1. Me gusta el azul.

_____

- -

_____

2. María hizo un dibujo.

_____

- -

_____

3. A Carlos le gusta pintar.

_____

- -

_____

4. Tus dibujos son lindos.

_____

- -

_____

Sufijos -*mente*, -*ido*, -*ida*

✏️ Lee las palabras. Encierra en un círculo la palabra que no pertenece al grupo.

1.

| simplemente | claramente | completamente | metido |

2.

| colorida | aburrida | ruidosamente | bebida |

3.

| escondido | movido | ofendido | dulcemente |

4.

| realmente | dormida | rápidamente | totalmente |

5.

| parecido | torcido | sufrido | lentamente |

6.

| elegida | ágilmente | servida | vencida |

Nombre _____

Palabras que quiero saber

✏️ Encierra en un círculo la mejor respuesta a cada pregunta.

1. ¿Qué palabra se relaciona con **lejos**?   cerca   bastante

2. ¿Qué palabra se relaciona con **trama**?   siempre   historia

3. ¿Qué palabra se relaciona con
tiempo?   diferente   cuando

4. ¿Qué palabra se relaciona
con **más que suficiente**?   bastante   cerca

5. ¿Qué palabra se relaciona con **bajo**?   alto   contento

6. ¿Qué palabra se relaciona con **triste**?   cuando   contento

7. ¿Qué palabra se relaciona con **nunca**?   alto   siempre

8. ¿Qué palabra se relaciona con **igual**?   diferente   historia

Sufijos -mente, -ido, -ida

✏️ Encierra en un círculo la palabra que completa mejor cada oración.

1. Nos peleamos _____.

      inútilmente   inútil

2. Estaba _____ a hacerlo.

      decisión   decidida

3. El niño está _____.

      aburrido   aburridamente

4. El cine está _____ lleno.

      completo   completamente

5. _____ ayer me encontré con ella.

      Casualidad   Casualmente

6. Fue la fiesta más _____ del año.

      divertida   diversión

Ortografía: Sufijos -mente, -ido, -ida

✏️ Escribe las palabras de ortografía correctas en cada columna.

Palabras de ortografía

comida

divertidas

medida

perdido

querido

rápidamente

seguida

solamente

sanamente

salida

Palabras con -mente	Palabras con -ido, -idos, -ida, -idas

¿Pregunta, exclamación, enunciado u orden?

✏️ Dibuja una línea entre la pregunta y los signos de pregunta (¿?). Dibuja una línea entre la exclamación y los signos de exclamación (¡!). Dibuja una línea entre los enunciados u órdenes y el punto (.).

1. Me encanta cantar

| ¿? |
| ¡! |

2. Sabes tocar los tambores

| ¿? |
| ¡! |

3. Da de comer al perro

| ¿? |
| . |

4. Qué sabes cocinar

| ¿? |
| . |

5. Manuel prepara la comida

| ¿? |
| . |

Escribir oraciones con *porque*

Completa estas oraciones que dicen tu opinión sobre aprender algo nuevo.

Oración principal

_____   _____

Aprender a _____ es _____ .

difícil   fácil

Oración de detalle

_____

Una razón es que _____ .

Oración de detalle

_____

Otra razón es que _____ .

Oración de cierre

_____   _____

Aprender a _____ es _____ .

Repasar los sufijos *-oso, -osa* y *-mente, -ido, -ida*

¿Qué puedes hacer?
Fonética: Repasar los sufijos
-oso, -osa y *-mente, -ido, -ida*

✏️ Encierra en un círculo la palabra que describa mejor la ilustración.

1.

sabroso   arenoso

2.

ruidosa   encendida

3.

aburrida   jugosa

4.

riguroso   entretenido

5.

cariñosamente   peligrosa

6.

confundida   ruidosamente

¿Qué puedes hacer?

Lecciones para aprender

La selección enseña lecciones importantes sobre practicar, intentar y aprender cosas nuevas.

Lee las páginas 51 a 59. ¿Qué aprendiste sobre la práctica?

_____

- -

_____

- -

_____

- -

_____

- -

_____

- -

Lee las páginas 60 a 69. ¿Cuál es la moraleja o lección de toda la selección?

_____

- -

_____

- -

_____

Inventa un cuento de dos animales que tienen un problema y lo pueden solucionar con la práctica. Haz una lista de los personajes y el entorno. Di qué pasa primero, a continuación y por último. Después escribe el cuento en otra hoja de papel.

Mis personajes	Mi entorno

Sucesos de mi cuento

_____
_____
_____
_____
_____
_____

Ortografía: Sufijos -*mente*, -*ido*, -*ida*

Agrega los sufijos -*ido* o -*ida* a las palabras base para formar las palabras de ortografía.

Palabras de ortografía
comida
divertidas
medida
perdido
querido
rápidamente
seguida
solamente
sanamente
salida

1. comer _____

2. seguir _____

3. medir _____

4. perder _____

Agrega el sufijo -*mente* a las palabras base para formar las palabras de ortografía.

5. rápido _____

6. solo _____

7. sano _____

Clases de oraciones

 Escribe las oraciones correctamente.

1. carla sabe tejer (enunciado)

_____

- -

_____

2. me podrá hacer una bufanda (pregunta)

_____

- -

_____

3. a mis amigos les encanta correr (exclamación)

_____

- -

_____

4. Sol corre en el parque todos los días (enunciado)

_____

- -

_____

Planear mis oraciones

✏️ Escribe tu opinión. Luego escribe razones que digan por qué.

Mi opinión

Primera razón

Segunda razón

Oración de cierre

Ortografía: Sufijos -mente, -ido, -ida

Escribe las palabras de ortografía que completan las oraciones.

querido comida salida rápidamente solamente divertidas

_____

1. Prepararon una _____ deliciosa.

_____

2. Las niñas nunca habían estado tan _____ .

_____

3. Mi _____ perro Poli se perdió.

_____

4. Cuando llegó, resolvió el problema _____ .

_____

5. _____ probó un bocado.

_____

6. Estábamos cerca de la _____ .

Repaso en espiral

✏️ **Elige las palabras correctas del recuadro para completar las oraciones.**

Marcia	yo	mi

_____   _____

1. _____ y _____ actuamos en una obra.

yo	Leandro	mi

_____   _____

2. _____ y _____ escribimos cuentos.

mi	yo	Rosa

_____   _____

3. _____ y _____ bailamos.

yo	mi	Lucas

_____   _____

4. _____ y _____ vamos a patinar.

Gramática y escritura

Un **enunciado** termina con un punto. Una
pregunta lleva signos de interrogación. Una
exclamación lleva signos de exclamación. Todas
las oraciones empiezan con mayúscula.

**Repasa las oraciones. Cámbialas a la
clase de oración que se indica entre ( ).**

Ejemplo: La mascota se llama Goldi. (pregunta)

¿Cómo se llama la mascota?

1. ¿Es divertido patinar? (enunciado)

_____

- -

_____

2. Me gusta andar en bicicleta. (exclamación)

_____

- -

_____

3. A Pedro le gusta actuar. (pregunta)

_____

- -

_____

4. ¡Victoria escribe los mejores cuentos del mundo! (enunciado)

_____

- -

_____

Prefijos *in-, im-*

Observa las ilustraciones. Encierra en un círculo la palabra que nombra la ilustración.

1.  indomable   inactivo

2.  impuntual   incansable

3.  imparcial   inusual

4.  inofensiva   imperfecto

5.  ineficaz   inalcanzable

6.   impuro   incolora

Palabras que quiero saber

✏️ **Encierra en un círculo la palabra correcta de las oraciones.**

1. El gato juega con una (bola, cabeza) de lana.

2. Todos nos asustamos al (correr, oír) semejante ruido.

3. Obedecer a nuestros padres es nuestro (oír, deber) .

4. Ariel es el (segundo, bola) de la fila.

5. ¡Basta de (gritar, deber)! Me van a dejar sordo.

6. Me duele la (segundo, cabeza).

7. A mi perro le encanta (grande, correr) por el campo.

8. Hay un pájaro (grande, gritar) en el árbol.

Prefijos *in-*, *im-*

Escribe una palabra del recuadro para completar las oraciones.

increíble	improbable	incompleta	inactivo	inmadura

_____

1. La obra de arte estaba _____.

_____

2. El relato era _____.

_____

3. Es el niño más _____ que conocí.

_____

4. No comí la manzana porque estaba _____.

_____

5. Es muy _____ que llueva mañana.

Ortografía: Prefijos
in-, im-

✏️ Escribe las palabras de ortografía que empiezan con *in-*.

Palabras de ortografía
impago
impar
inactiva
imposible
incómodo
inquieto
intento
intranquilo
inaccesible
impensable

1. _____   2. _____

3. _____   4. _____

5. _____   6. _____

✏️ Escribe las palabras de ortografía que empiezan con *im-*.

7. _____   8. _____

9. _____   10. _____

Adjetivos que describen sabores y olores

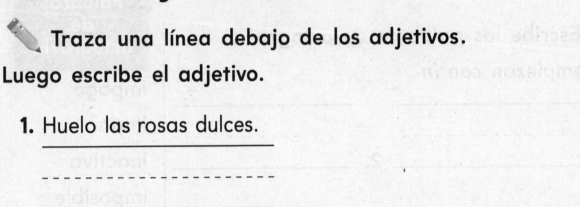 Traza una línea debajo de los adjetivos. Luego escribe el adjetivo.

1. Huelo las rosas dulces.

_____

- - - - - - - - - - - - - - - - -

_____

2. Probamos los limones amargos.

- - - - - - - - - - - - - - - - -

_____

3. ¿Huele agria la leche?

_____

- - - - - - - - - - - - - - - - -

_____

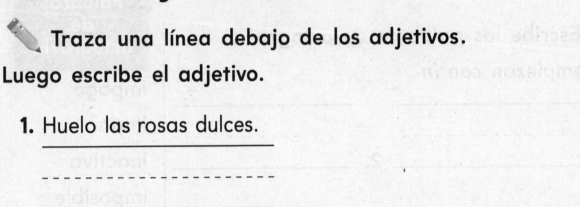 Traza la línea debajo de cada adjetivo y añade comas donde sea necesario.

4. Algunas nueces son saladas dulces y crujientes.

5. La fruta era dulce jugosa y dura.

Usar palabras diferentes

✏️ Cambia una palabra repetida por una palabra precisa. Usa palabras del recuadro o palabras que tú elijas.

brillante	voló	fantástico
abajo	divertido	corrió
alto	azules	soleado

Sepo <u>fue</u> rápido y la cometa <u>fue</u> hacia arriba.

_____

- - - - - - - - - - - - - - - - - -

Sepo _____ rápido y la cometa fue hacia arriba.

Los pájaros <u>pequeños</u> se rieron de la <u>pequeña</u> cometa de Sepo.

_____

- - - - - - - - - - - - - -

Los pájaros pequeños se rieron de la _____ cometa de Sepo.

La <u>hermosa</u> cometa bailaba en el <u>hermoso</u> cielo.

_____

- - - - - - - - - - - - - - - -

La hermosa cometa bailaba en el _____ cielo.

Nombre _____

Lección 28
CUADERNO DEL LECTOR

La cometa
Fonética: Repasar los sufijos
-mente,- ido, -ida y los prefijos in-, im-

Repasar los sufijos -mente,- ido, -ida y los prefijos in-, im-

Escribe la palabra que complete mejor las oraciones. Usa las palabras del recuadro.

inalcanzables	florida	imborrable	amablemente	aburrido

1. Las estrellas son _____ .

2. La casa de Carla es muy _____ .

3. Tengo un recuerdo _____ de aquellas vacaciones con mis primos.

4. Sara siempre pide las cosas muy _____ .

5. Su cuento fue lo más _____ de la fiesta.

Guía del lector

La cometa

Sapo, Sepo y los petirrojos

Lee las páginas 88 a 93. Los petirrojos se burlan de la cometa. Ahora dibuja a Sapo. Añade un globo de conversación para mostrar lo que les dice a los petirrojos.

Lee las páginas 94 a 101. Ahora dibuja a Sapo y lo que les diría a los petirrojos al final del cuento.

Ortografía: Prefijos
in-, im-

✏️ Escribe los grupos de palabras de ortografía en orden alfabético.

intento

impar

inquieto

impago

intranquilo

inactiva

incómodo

imposible

inaccesible

incapaz

impago intranquilo	inquieto intento
imposible impar	inactiva incómodo
inaccesible	incapaz
_____	_____
_ _ _ _ _ _ _ _ _	_ _ _ _ _ _ _ _ _
_____	_____
_ _ _ _ _ _ _ _ _	_ _ _ _ _ _ _ _ _
_____	_____
_ _ _ _ _ _ _ _ _	_ _ _ _ _ _ _ _ _
_____	_____
_ _ _ _ _ _ _ _ _	_ _ _ _ _ _ _ _ _
_____	_____

Adjetivos que describen sonidos y sensaciones

🖉 Traza una línea debajo de los adjetivos.
Luego escribe el adjetivo.

1. Julia y Pablo navegaron por el lago tranquilo.

_____

- - - - - - - - - - - - - - - - - - -

_____

2. Se escuchó el fuerte grito de una gaviota.

_____

- - - - - - - - - - - - - - - - - - -

_____

3. El sol se sentía cálido.

_____

- - - - - - - - - - - - - - - - - - -

_____

🖉 Traza una línea debajo de cada adjetivo y
añade comas donde haga falta.

4. El ruido era fuerte agudo y molesto.

5. La música era agradable suave y linda.

Planear mis oraciones

 Escribe tu opinión. Luego escribe razones que digan por qué.

Mi opinión

Primera razón

Segunda razón

Oración de cierre

Ortografía: Prefijos *in-, im-*

Escribe las palabras de ortografía para completar las oraciones.

_____
- - - - - - - - - - - - -

1. Siempre elige un número _____.

(inquieto, impar, inactiva)

_____
- - - - - - - - - - - -

2. Se sentía muy _____ en la casa de su vecino.

(incómodo, impar, imposible)

_____
- - - - - - - - - - - -

3. A él nada le parecía _____.

(impago, intento, imposible)

_____
- - - - - - - - - - - -

4. Ayer no pude pagar el gas y por eso está _____.

(inactiva, inaccesible, impago)

_____
- - - - - - - - - - - -

5. Estuvo _____ toda la noche.

(impar, inquieto, intento)

Repaso en espiral

✏️ **Escribe el pronombre posesivo correcto para completar las oraciones.**

1. ¿Me prestas aquella cometa _____?

   tu　　　**tuya**

2. Me gusta mucho hacer volar _____ cometa.

   mi　　　**mía**

3. Julio guardó _____ cometa en la casa.

   suyo　　　**su**

4. ¿Te gustaría jugar en _____ casa?

   mi　　　**mía**

5. Podemos usar esa cometa _____ que es más grande.　　**su**　　　**suya**

Gramática y escritura

Algunos adjetivos describen el **sabor** o el **olor** de las cosas, su **sonido** o lo que **se siente** al tocarlas.

Ejemplo: Siento la brisa.
fresca
∧

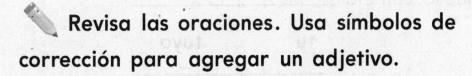 Revisa las oraciones. Usa símbolos de corrección para agregar un adjetivo.

dulce	fresco	feliz	suave

1. La abeja comparte la miel.

2. El sapo cantó una hermosa canción.

3. Nos sentamos en el césped.

4. Cuando voy al mar, me gusta oler el aire.

Símbolo de corrección	
∧	agregar

Prefijos *des-, re-*

✏️ Escribe un prefijo del recuadro para completar las palabras.

des-   re-

1.

_____
- - - - - - - -
_____ cansar

2.

_____
- - - - - - - -
_____ cortar

3.

_____
- - - - - - - -
_____ cuidado

4.

_____
- - - - - - - -
_____ pintar

5.

_____
- - - - - - - -
_____ leer

6.

_____
- - - - - - - -
_____ abrochar

Palabras que quiero saber

Encierra en un círculo la palabra correcta para completar las oraciones.

1. Rastrillar el jardín es una buena (ninguno, idea).

2. Es difícil (atrapar, sentir) una mosca.

3. El truco de magia nos va a (asombrar, escuchar).

4. Mi equipo de fútbol es (incómodo, increíble).

5. Me gusta (atrapar, escuchar) el canto de los pájaros.

6. Un (minuto, día) tiene sesenta segundos.

7. La (mitad, amistad) es muy importante.

8. Puedo (sentir, asombrar) el viento en la cara.

Nombre _____

Prefijos *des-*, *re-*

🖉 Elige una palabra del recuadro. Elige un prefijo para hacer una palabra nueva. Escribe la palabra nueva debajo del prefijo.

| partir | mover | abrigado | acostumbrarse |
| proteger | cargar | nombrar | abrir | activado |

re-

_____

- -

_____

- -

_____

- -

_____

- -

_____

des-

_____

- -

_____

- -

_____

- -

_____

- -

_____

Ortografía: Prefijos *des-*, *re-*

✏️ Escribe las palabras de ortografía que llevan el prefijo *des-*.

Palabras de ortografía

descalzo
descubre
desorden
relleno
remoja
repasa
resuelto
destruido
desprolijo
revolotea

_____   _____

1. _____   2. _____

3. _____   4. _____

5. _____

✏️ Escribe las palabras de ortografía que llevan el prefijo *re-*.

_____   _____

6. _____   7. _____

8. _____   9. _____

10. _____

Adverbios de modo y de lugar

🖉 Encierra en un círculo el adverbio de las oraciones. Escríbelo en la línea.

_____

- - - - - - - - - - - - - - - - - -

1. El inspector fue arriba. _____

- - - - - - - - - - - - - - - - - -

2. Mosquito lo sigue de cerca. _____

- - - - - - - - - - - - - - - - - -

3. El bote estaba aquí. _____

_____

- - - - - - - - - - - - - - - - - -

4. Julián miró al insecto cuidadosamente. _____

Completa las oraciones. Escribe un adverbio que indique cómo o dónde.

_____

- - - - - - - - - - - - - - - - - -

5. La hoja flotó _____ con la corriente.

_____

- - - - - - - - - - - - - - - - - -

6. Mosquito guardó su nuevo bote _____.

Nombre _____

Poner ejemplos

✏️ Mira los dibujos de los jueces de la
página 139 de tu libro. Escribe tu opinión
sobre lo que piensan los jueces de
su decisión.

_____

- - - - - - - - - - - - - - - - - -

Creo que los jueces están _____.

✏️ Escribe una razón para explicar tu opinión.

_____

- - - - - - - - - - - - - - - - - -

Una razón es porque _____.

✏️ Escribe dos ejemplos para explicar tu razón.

_____

- -

1. _____

_____

- -

2. _____

Lección 29
CUADERNO DEL LECTOR

¡Hola, Señor Mosca!
Fonética: Repasar los prefijos
in-, im- y *des-, re-*

Repasar los prefijos
in-, im- y *des-, re-*

Encierra en un círculo la palabra que haga juego con la ilustración.

1.  inalcanzable   inolvidable

2.   desorientado   impago

3.   reabrir   impermeable

4.  rehacer   imbatible

5.  desprolijo   reconstruir

6.   inaceptable   desinflar

Guía del lector

¡Hola, Señor Mosca!

Habla con las moscas

Tienes una máquina especial. ¡Te ayuda a entender lo que dice Mosca!

Lee las páginas 119 a 125. ¡Usa la imaginación!

¿Qué está diciendo Señor Mosca cuando dice "¡Buzz!" en la página 124?

¡Buzz! ⟹ _____

_____

_____

_____

_____

Lee las páginas 126 a 128. ¿Qué está diciendo Señor Mosca cuando dice "¡Buzz!" en la página 128?

¡Buzz! ⟹ _____

_____

_____

_____

Lee las páginas 129 y 130. ¿Qué está diciendo Señor Mosca cuando dice "¡Buzz!" en la página 130?

¡Buzz! →

_____
- - - - - - - - - - - - - - - - -
_____
- - - - - - - - - - - - - - - - -
_____
_____
- - - - - - - - - - - - - - - - -
_____
_____
- - - - - - - - - - - - - - - - -
_____

Lee las páginas 131 a 141. ¿Qué está diciendo Señor Mosca cuando dice "¡Buzz!" en la página 136?

¡Buzz! →

_____
- - - - - - - - - - - - - - - - -
_____
- - - - - - - - - - - - - - - - -
_____
_____
- - - - - - - - - - - - - - - - -
_____
_____
- - - - - - - - - - - - - - - - -
_____

Ortografía: Prefijos *des-*, *re-*

Agrega *des-* a las palabras base. Luego escribe la palabra de ortografía sobre la línea.

1. cubre   _____

2. orden   _____

Agrega *re-* a las palabras base. Luego escribe la palabra de ortografía sobre la línea.

3. lleno   _____

4. moja   _____

5. pasa   _____

Palabras de ortografía
descalzo
descubre
desorden
relleno
remoja
repasa
resuelto
destruido
desprolijo

Adverbios de tiempo y cantidad

🖉 Encierra en un círculo el adverbio de la oración. Luego, escríbelo sobre la línea.

_____

1. Ayer fuimos al cine.   _____

2. Mosquito terminó tarde el trabajo.   _____

3. Se alegró mucho de ver a sus amigos.   _____

4. Pronto habrá una carrera.   _____

🖉 Completa las oraciones. Escribe un adverbio que indique cuándo o cuánto.

5. Haremos un picnic _____.

6. El recipiente estaba _____ lleno.

Ortografía: Prefijos *des-, re-*

Escribe la palabra correcta para completar las oraciones.

1. A Omar le gusta andar _____.

| descalzo |
| descubre |

2. El detective siempre _____ al ladrón.

| descalzo |
| descubre |

3. El misterio está _____.

| resuelto |
| relleno |

4. Sólo le faltaba colocar el _____ para terminar el almohadón.

| resuelto |
| relleno |

5. El jardín quedó _____ después de la tormenta.

| destruido |
| resuelto |

6. El dibujo de Sebas está _____.

| repasa |
| desprolijo |

Repaso en espiral

Los pronombres indefinidos son pronombres especiales que se usan en lugar de usar nombres de personas o cosas. Sin embargo, estos pronombres no sustituyen el nombre de una persona o cosa en particular.

Escribe el pronombre indefinido que completa mejor la oración.

1. Señor Mosca sabía _____ sobre cómo ser una mascota.

   algo   alguien

2. A Buzz le gustaba _____ lo que hacía el Señor Mosca.

   todos   todo

3. _____ estaban impresionados con el Señor Mosca.

   Todos   Todo

4. ¿Le enseñó _____ a hacer esos trucos al Señor Mosca?   **algo   alguien**

Planear mi párrafo de opinión

Escribe tu opinión. Luego escribe razones y ejemplos.

Mi opinión

Primera razón
Ejemplo

Segunda razón
Ejemplo

Oración de cierre

Gramática y escritura

Los adverbios pueden indicar **cómo**, **dónde**, **cuándo** o **cuánto**.

Ejemplos: Tomás corrió <u>rápidamente</u>.   cómo

Tomás corrió <u>aquí</u>.   dónde

Tomás corrió <u>ayer</u>.   cuándo

Tomás corrió <u>mucho</u>.   cuánto

Reescribe las oraciones. Agrega el tipo de adverbio que se indica entre ( ).

1. Tito compró comida. (dónde)

_____

- -

_____

2. Dalia quiere tomar un helado. (cuándo)

_____

- -

_____

3. Mi gato masticó toda la comida. (cómo)

_____

- -

_____

4. Francisco comió. (cuánto)

_____

- -

_____

Palabras base, desinencias verbales y palabras compuestas

✏️ Lee las palabras. Traza una línea para dividir las palabras base de las desinencias verbales o las palabras que forman las palabras compuestas.

1.

componer   compramos

2.

sentada   cambiada

3.

girasol   saltamontes

4.

soñar   limpió

5.

soplando   bateando

6.

picaflor   parabrisas

Lección 30
CUADERNO DEL LECTOR

Los ganadores nunca
dejan de jugar
Palabras de uso frecuente

Palabras que quiero saber

✏️ Encierra en un círculo la mejor respuesta para las pistas dadas.

1. Esto significa **grupo de gente** que trabaja junta.   equipo   solo

2. Esto significa **gustar mucho**.   jugar   encantar

3. Estos son niños y adultos.   campo   personas

4. Es el masculino de **hermana**.   hermano   personas

5. Este es un lugar para jugar al fútbol.   hermano   campo

6. Esto significa **entretenerse con juegos**.   lamentar   jugar

7. Esto significa **sin otras personas**.   equipo   solo

8. Esto significa **sentirse mal por algo**.   lamentar   encantar

Lección 30
CUADERNO DEL LECTOR

**Los ganadores nunca
dejan de jugar**
Fonética: Palabras base, desinencias
verbales y palabras compuestas

Palabras base, desinencias verbales y palabras compuestas

 Encierra en un círculo los verbos que tienen desinencia verbal y las palabras compuestas.

1. Mi casa está cerca de un río.

2. Los guardacostas recorren el río todos los días.

3. Y los salvavidas cuidan las playas.

Ortografía: Palabras base y desinencias verbales

✏️ Escribe las palabras de ortografía en orden alfabético.

Palabras de ortografía
dejas
gritó
podía
metido
esperar
jugar
esperaron
juego
gritaban
meter

_____   _____

1. _____   2. _____

_____   _____

3. _____   4. _____

_____   _____

5. _____   6. _____

_____   _____

7. _____   8. _____

_____   _____

9. _____   10. _____

Comparar con otra persona o cosa

Encierra en un círculo el adjetivo que completa la oración. Escribe el adjetivo.

_____

- - - - - - - - -

1. El perro es más _____ que el gato.

    grande   buenísimo

_____

- - - - - - - - -

2. Mi mamá es más _____ que mi papá.

    altura   alta

_____

- - - - - - - - -

3. El actor es menos _____ que la actriz
    de la película.

    conocido   conocer

_____

- - - - - - - - -

4. La nueva oficina es más _____ que
    la anterior.

    cariñosa   luminosa

Escribir una oración de cierre

✏️ **¿Crees que Mia debería haber dejado de jugar? Escribe tus propias opiniones. Escucha las palabras del Banco de palabras. Repítelas. Asegúrate de que tu última oración vuelva a contar tu opinión.**

Banco de palabras

decisión   estoy de acuerdo   razón

no estoy de acuerdo   ejemplo

_____

_____

Yo _____ con la decisión de

_____

_____

Mia de no jugar más. Una razón es que _____.

_____

Por ejemplo, _____.

_____

Otra razón es que _____.

_____

_____

Yo pienso que _____

217

Repaso

**Los ganadores nunca
dejan de jugar**
Fonética: Repaso

Lee las palabras. Encierra en un círculo la palabra que va con la ilustración y traza una línea para separar las palabras base de los prefijos y las desinencias y las palabras que forman palabras compuestas.

1.

desatar   reponer

2.

llorar   sonreír

3.

correr   recoger

4.

lavar   peinar

5.

desorden   cumpleaños

6.

tocadiscos   paraguas

Los ganadores nunca dejan de jugar

Historias de fútbol

Acabas de leer sobre Mia Hamm, una jugadora famosa de fútbol. ¿Cómo crees que contarían la historia su hermana y su hermano?

Lee las páginas 159 a 167. ¿Cómo crees que Lola contaría esta parte de la historia?

_____

_____

_____

_____

_____

Lee las páginas 168 a 177. ¿Cómo crees que Guille contaría esta parte de la historia?

_____

- -

_____

- -

_____

- -

_____

- -

¿Crees que Mia metió un gol al final? ¿Qué crees que le dijeron Lola y Guille?

_____

- -

_____

- -

_____

- -

_____

- -

Ortografía: Palabras base y desinencias verbales

✏️ Escribe la palabra de ortografía que complete mejor las oraciones.

Palabras de ortografía
dejas
gritó
podía
metido
esperar
jugar
esperaron
juego
gritaban
meter

_____
- - - - - - - - - - - -

1. La _____ a la salida del cine.

_____
- - - - - - - - - - - -

2. Los niños quieren _____ al ajedrez en el jardín.

3. Cuando era más pequeño, José no

- - - - - - - - - - - -

_____ correr como su hermano.

_____
- - - - - - - - - - - -

4. No intentes _____ la llave en la cerradura porque no funciona.

_____
- - - - - - - - - - - -

5. Tú siempre _____ las cosas tiradas en la habitación.

_____
- - - - - - - - - - - -

6. Cuando Caro vio al gato, _____ de miedo.

Comparar con todo lo demás

🖊 Escribe los grupos de palabras del Banco de palabras para completar las oraciones.

Banco de palabras

verde   más verde que   el más verde

1. Nuestro jardín es _____.

2. Tu jardín es _____ el nuestro.

3. Su jardín es _____ de todos.

Banco de palabras

largo   más largo que   el más largo

4. Jugamos un partido _____ hoy.

5. El partido de ayer fue _____ el de hoy.

Ortografía: Palabras base y desinencias verbales

Escribe la palabra correcta para completar las oraciones.

_____
- - - - - - - - - - - - -

1. Debes _____ hasta el sábado para ir al cine. (esperaron, esperar)

_____
- - - - - - - - - - - - -

2. ¡Esas personas _____ mucho! (gritaban, gritar)

_____
- - - - - - - - - - - - -

3. Hoy vamos a hacer un _____ nuevo. (juego, juegan)

_____
- - - - - - - - - - - - -

4. ¡No quiero que te _____ en líos! (meter, metas)

_____
- - - - - - - - - - - - -

5. Renata le preguntó si _____ irse. (podía, poder)

Repaso en espiral

Lee las oraciones. Vuelve a escribir las oraciones con la contracción correcta.

1. Ayer fui <u>a el</u> museo con mi abuelo.

_____

- - - - - - - - - - - - - - - - - - - -

_____

2. Las ventanas <u>de el</u> cuarto estaban cerradas.

_____

- - - - - - - - - - - - - - - - - - - -

_____

3. Mañana iremos a visitar <u>a el</u> primo de mi mamá.

_____

- - - - - - - - - - - - - - - - - - - -

_____

4. Nos gustaría vivir en una casa en las afueras <u>de el</u> pueblo.

_____

- - - - - - - - - - - - - - - - - - - -

_____

5. Hoy vamos <u>a el</u> parque.

_____

- - - - - - - - - - - - - - - - - - - -

_____

Nombre _____

Lección 30
CUADERNO DEL LECTOR

**Los ganadores nunca
dejan de jugar**
Gramática: Comparaciones
con adjetivos

Gramática y escritura

- Para comparar entre dos personas o cosas,
  usa *más* + *adjetivo* + *que*.

- Para comparar una cosa en relación con las
  demás, usa *el/la* + *más* + *adjetivo* + *de*.

    Ejemplo: Hoy es un día caluroso.

    El día de hoy es el más caluroso del año.

**Lee las oraciones. Usa *más que*, *el/la más*
para comparar.**

1. Elizabeth es una corredora rápida.

_____

- -

_____

2. Teo es alto.

_____

- -

_____

3. Nuestra escuela es grande.

_____

- -

_____

4. El juego de hoy fue corto.

_____

- -

_____

Nombre _____ Fecha _____

Unidad 6
CUADERNO DEL LECTOR

Martina una cucarachita muy linda
Segmento 1
Lectura independiente

Martina una cucarachita muy linda

Lee las páginas 1-4. La abuela de Martina le da un consejo para encontrar al mejor esposo. ¿Crees que funcionará?

Escribe en este cuaderno. ¿Crees que la abuela tiene una buena idea? ¿Cómo sabes que Martina no está convencida de que la idea de su abuela funcione? Observa bien los dibujos.

_____

_____

_____

_____

_____

_____

_____

_____

_____

Nombre _____ Fecha _____

Unidad 6
CUADERNO DEL LECTOR

Martina una cucarachita
muy linda
Segmento 1
Lectura independiente

Lee las páginas 5-8. Fíjate bien en las ilustraciones de las páginas 5 y 7. ¿Quién más aparece en esa página además del perico y Martina?

Usa tus habilidades de detective para resolver el misterio. Escribe quién está observando a Martina. Usa las pistas de las ilustraciones para explicar tu respuesta.

_____

- -

_____

- -

_____

- -

_____

- -

_____

- -

_____

- -

_____

- -

_____

Nombre _____ Fecha _____

Unidad 6
CUADERNO DEL LECTOR

Martina una cucarachita muy linda
Segmento 2
Lectura independiente

Guía del lector

Martina una cucarachita muy linda

Lee las páginas 9-12. Don Gallo aparece y se presenta a Martina. ¿Cómo crees que es este pretendiente? ¿Crees que le gustará a Martina?

Escribe en tu cuaderno de detective. ¿Qué palabras y dibujos te dicen cómo es don Gallo? Usa las pistas del texto y las ilustraciones para explicar tu respuesta.

_____

_____

_____

_____

_____

_____

_____

_____

_____

_____

_____

Nombre _____ Fecha _____

Lee las páginas 13-18. ¿Crees que don Cerdo y don Lagarto son unos pretendientes honestos?

Usa las pistas del cuento para explicar tu respuesta.
Haz un dibujo del pretendiente que crees que le gustaría a Martina. Rotula tu dibujo.

Unidad 6
CUADERNO DEL LECTOR

Martina una cucarachita
muy linda
Segmento 3
Lectura independiente

Martina una cucarachita muy linda

Lee las páginas 21-29. La abuelita le dice a Martina de mirar hacia el jardín donde hay un ratoncito. ¿Crees que este pretendiente será por fin el mejor para Martina?

Escribe tu respuesta. Usa las pistas del texto y las ilustraciones para explicar tu respuesta.

_____
_____
_____
_____
_____
_____
_____
_____
_____
_____

Les presento a Martina

Usa lo que ya sabes sobre Martina para ayudarle a crear una página web. Primero haz un dibujo de Martina en la caja. Luego completa los espacios en blanco.

_____

Mi nombre: _____

_____

Vivo en _____ .

Mi actividad favorita es _____ .

Mi bebida favorita es _____ .

Una palabra que me describe es _____ .

Me voy a casar con _____ .

231